S0-AED-429

はじめに

「国際結婚はロマンティックでアモーレな世界ばかりではない」。そんな事実を描いた第一弾、「ダーリンは外国人」。続編であるこの「ダーリンは外国人2」も、「うっとり」とはほど遠い「ええっ!?」や「ちょっとちょっと」、あるいは「ふーん」な出来事を紹介しております。しかし、この続編はとくに「国際結婚だから」というよりも、「目の前にいる人が独特な感じ」なので観察日記をつけている、といった方が近いかも知れません（どのように「独特」なのかは、これから始まる本編でご確認ください）。

また、外国人を含め多くの方に読んでいただきやすいよう、今回は漢字にルビをふりました。「ルビ、ジャマ…」なんて言わずに、どうかひとつ、あたたかい目で。よろしくお願いします。

では、どうぞ。

登場人物

さおり（小栗左多里）

12月10日生まれ
いて座 A型。
好きな食べ物は、
お寿司とメロン（マスク）。
職業・漫画家

トニー

10月16日生まれ
てんびん座 A型。
1985年、来日。
好きな食べ物は、トマトとチョコレート。
（本人注　一緒に食べるわけではない）

ルポ 1 A day in the life

あいかわらずです

朝ごはんはラザニア …… 8
やっぱりガラスの心 …… 14
☆☆ **トニー伝説** …… 21
顔面を考える …… 22
語学オタクの血が騒ぐ …… 28
☆ **トニーのつぶやき** …… 34

ルポ 2 This ever happen to you?

ちょっとしたニュース

お部屋探しの困難ふたたび …… 36
値切る！9カ条 …… 42
はじめてのお料理 …… 50
敷金返金運動 …… 58
☆ **トニーのつぶやき** …… 64
☆☆ **告白** …… 65
★★ **気づいて！** …… 66

ルポ 3

Off to meet the in-laws

家族について

母とトニー …… 68
トニーの家族に会う …… 74
かのこと一緒 …… 80
母とトニー2 …… 86
☆☆**おまけ母** …… 89
☆**トニーのつぶやき** …… 90
☆☆**感じる？** …… 91
★★**さんげ** …… 92

ルポ 4

Where our twain doesn't meet

ちがうとこ、まだまだ

ふたりのちがい …… 94
家事は大変 …… 100
マンガと日本女子 …… 106
トニー的作法 …… 114
★★**経験** …… 116
☆☆**賭け** …… 117
☆**トニーのつぶやき** …… 118
☆☆**トニーの名言** …… 119
★★**油断大敵** …… 120

ルポ 5

Wish us luck!

これからもよろしく

入籍しました …… 122

☆ **日本に来たきっかけ** …… 129

モスキートキラー …… 130

ホームパーティへ …… 134

クリスマス物語 …… 140

どーでもいいブーム …… 144

仲直りのきっかけ …… 150

☆ **トニーのつぶやき** …… 156

☆ **ある日のスケッチ** …… 157

ダーリンが外国人な人に聞きました! …… 158

最後になりましたが …… 164

本人たちとご対面 …… 166

★ **小ブーム** …… 168

あいかわらずです

おかげさまで、変わりない毎日をすごしてます。
彼も…あいかわらず宇宙めいてます。

朝ごはんはラザニア

うちは時々朝ごはんに

ラザニアを食べます

なぜかというと

夫がハンガリーとイタリアのハーフだから

というワケでもなく

私が起きるのがお昼に近いので

たいていランチをやっているお店に行き…

起きてすぐイタリアンや中華を食べることもあるワケです

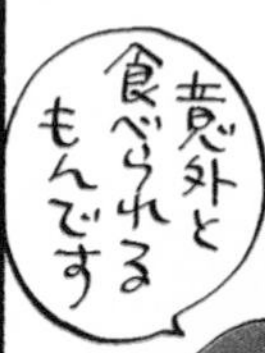

ま 特にラザニアはトニーの「おふくろの味」らしいですしね…
おいし〜〜い
「おふくろの味」がねえ…
すばらしい料理だねー
でも日々食べる物にはそれほどこだわりがなくメニューが5つ以上あると…
……
何にしようかなー
適当に選んでください
選択を放棄
私が2つ選んで半分ずつくらい食べます
そんな彼がこだわりを持っているのは語学
すごいキレイでー…
う〜む
間違ってますねえ…
正しくは「すごく・キレイ」でしょ？
うちの父も生前言っていた
全然あり
う〜む
間違っとるな…
「全然」ときたら「ない」っちゅう否定で終わらなあかんやろ

昭和11年生まれの日本人と同じような発言を…!!
ん?、
しかも
母語の英語のほかに日本語、北京語スペイン語ポルトガル語を勉強したしハングルやタイ語など今も勉強中
なので
これは中国の漢字で
日本では略されて使われてる字なんだけど何の字かわかる?
こんなクイズを出されることも
……聴?
※正解は「庁」です
しかし!!
ペラペラしゃべっているからといって油断してはいけない!!
あのー…あれ何て言うんだっけ?確か…「ことり」…「作戦」…?
「ことり作戦」!?

あのー…警察がやる…
はっ
もしや…それは「おとり捜査」!?
そう!!そう!!
間違えるにしても…
小鳥作戦って!!
ピヨピヨ鳴いてどーする!!
ピヨ
なんじゃい ピヨー
なに!? ピヨー
ボス
ピヨ
Gパン
ピヨ
デカ すまく ピヨー
ヤマ
またある時はパーティで
これおいしいなー
お互いの家に帰ってから送られてきたFAX
今日はありがとう。ホレンソ、おいしかったね。
↑まだ一緒に住んでなかった
ホレンソ…って…何!?
ほうれんそう
気づくのに少しかかった
話す時は
ほーれんそー
と言ってるように聞こえる

音を伸ばすかどうか…
わかりにくいんですよ
「伸ばす」だけでなく
きて
きって
きいて
きえて
この辺の
少しだけの変化
難しすぎ!!
つい最近まで
「それはさておき」を
「さっておき」だと
思ってたし!!
和語です!
特に和語の動詞が
やっかいなんです!!
困るんですよっ
ゴオオオ…
「和語」
って…
オタクは抗議も
オタクだ…!
※和語は日本古来の言葉
まぁとにかくね
「伸ばす」問題でいえば
「大岡越前」って「お」が3つあるよね
でもみんなどう考えても
2.2くらいしか言ってないと思うんです
いや1.5かも
知れない…
いや
いやいや
「get up」を
「ゲラッ」って
発音するような
人たちに
言われたくないわ!!
言葉とは
難しい
ものです

また彼はパソコンおたくでもある
起きてから寝るまでずーーーっとパソコンと一緒
私が教えてもらっても
これをこーしてこーするとこーなって……
わからん…
すごく難しいことができるのに
トニー洗濯してくれる？
いいよー
洗濯機の前ではかたまっている
……
パソコンよりカンタンだよ
…私やろっか？
できますから
時間かかるだけです
こないで！
また説明するのも面倒くさい…
結局その間ほかのことをしてないので効率は悪い
うまくできたのかな…
ウロウロ
でもガマンだきっと早くなると願いつつ

やっぱりガラスの心

あいかわらず

いろんなことで
傷ついてます…

ある日
近所のお祭りから
帰ってきて

ふう…

どしたの？

今ねぇ…
商店街のおじさんと
話してたら
そのおじさんがね…

「すべての面で
男性は
女性より
優れてますね」

なーんて
言うんだ
よ…

へーぇ
女性より男性が上だなんて…そんなバカな対等でしょ？
いやーその人家でよっぽど奥さんの尻にしかれてるんじゃないのー？
そうかなー…
がく～…
それにしたって今の時代にそんなこと言う人がいるなんて…21世紀なんじゃないの？今…
21世紀…
TOKIO…
なぜそこまで女でもないのに…
イヤもしかして女…？
また
ある日テレビで
怪談「耳なし芳一」が
始まったとたん…

すでにイタイ
話の途中も
ねぇ
これ
痛い!?
痛い話!?
んー?
どーだろ…
痛いぞー
み…
「みみなし
ほういち」!?
みみって
あの耳!?
耳が…!?
終盤
お姫様と武士が
芳一を迎えにきて…
ほ〜〜う〜〜
い〜〜〜ち〜〜〜
恐い場面の
連続に…
どこ
じゃあ〜〜〜っ
めちゃ
落武者
ねぇっ

ねぇっこれって
ハッピーに終わる!?
ハッピー
エンディング!?
そんなわけ
ないだろう
こんな恐い絵面で
バタ
バタ
そうこう
するうちに
芳一の耳が
ピンチ!!
耳が!!
耳がっ…
わ〜〜〜〜っ
プツ
ミュート
音声だけ
消した!!

音を消したまま
でも最後まで見た
もーーっ
もーっ
効果…あるの？
ありますすごくあります
お試しください
そしてまたレストランで
あっ見て見てここのパンって…
バゲットのはしっこ
開くと
ハートみたいになってる！
切り離す寸前まで
パァァア…
おーホントだすごいねぇ…

こういうのばっかり作って出すのもウリになったりして
レストランの
楕円型のパンならハートが2つずつできる
あっでもちょっと切れめが深いと…
割れる…
ダメかー
おう
トニーがまた傷ついてる…
かわいそう…
それはダメだねぇ…
でもホント食べられないねこれは…
立ち直ろうとしてる…
ホントだね…
ぐっ
ホントだねぇトニー…
ごめんね

とか言って食べちゃえ
バクバク
あははっ
トニーの悲しい顔が見たい私でごめんね…!!
バクバク
おう
2秒後
ウソ
ごめん
許して…
うん…
やっぱ食べちゃえー
バクバクバク
ほーら
どこかおかしいのか私は…
おぅ おぅ

トニー伝説

日本に来た当初…
ヒゲなし
初対面の人
外国の方ですか？
どーしてわかったんですか!?
理由が「顔」だとしばらく気づかなかったらしい
「多民族」の中で暮らしてると外見では外国人かどーかなんてわかんないもん
なるほど しかし日本に来たらすぐわかりそうなものだと思うけど…？

顔面を考える

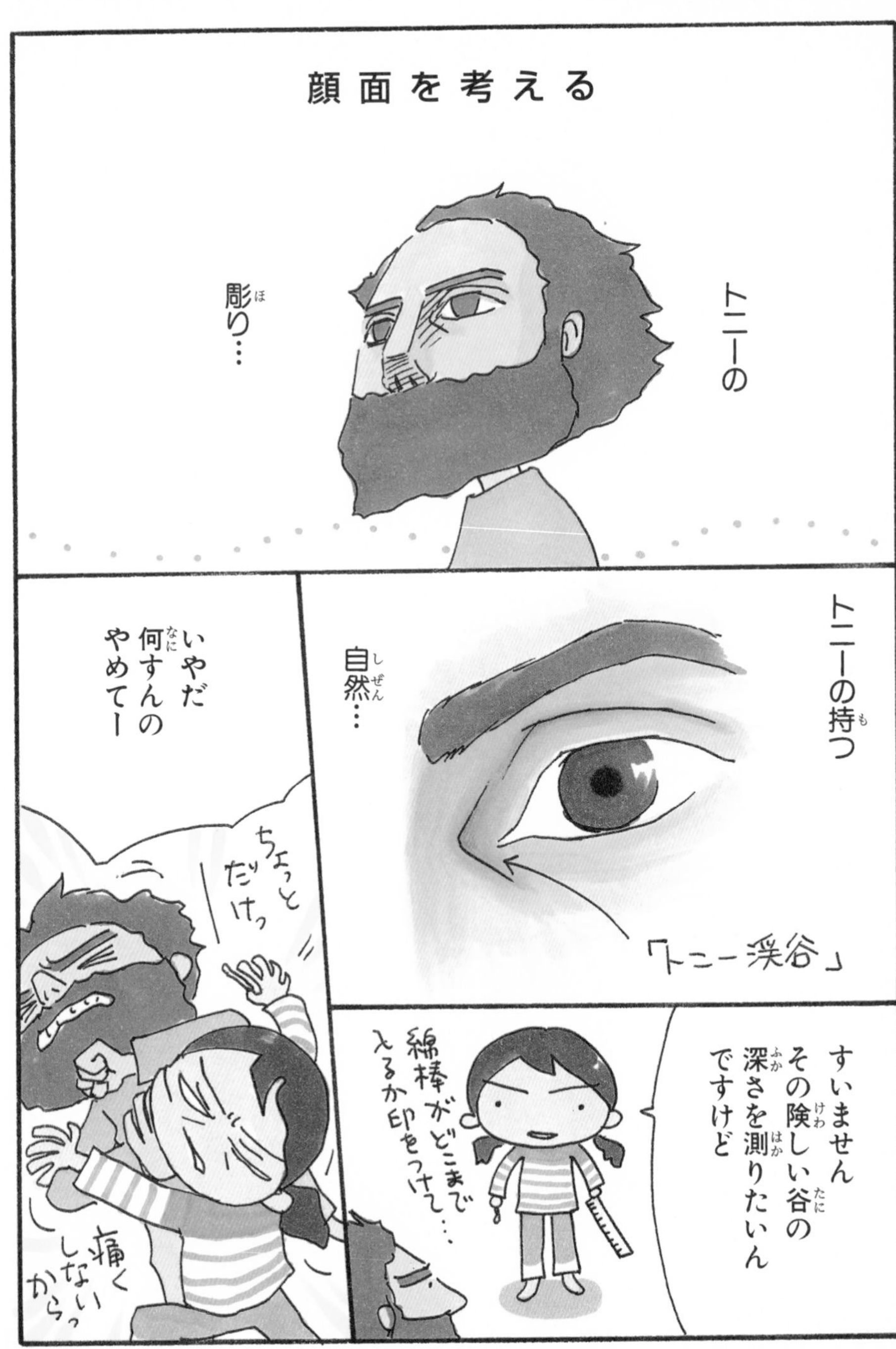

トニーの
彫り…
トニーの持つ
自然…
「トニー渓谷」
いやだ
何すんの
やめてー
ちょっとだけっ
痛くしないからっ
すいません
その険しい谷の
深さを測りたいん
ですけど
綿棒がどこまで入るか印をつけて…

あいかわらず顔に関することは興味ないらしい
じゃあ見るだけ…ねっ見るだけだから
はぁはぁ顔が
ずん
トニーの目頭…
↑ばっくり
あのー…肉見えてますよ？
私のはこんなですけど…
いつも充血
大丈夫ですから
そりゃそうですよね
そういう整形手術する人もいるくらいですから
ぐっ
しかし…もし私が彫りが深かったら視界に変化はあるのか…

あっ雨や日射しから目を守れるとか？
彫深の私
彫深の私
平たい私
全部ひなた
平たい私
直
そんなことあるって、
あー…でも確かに昔目の辺りに物が飛んできたけど眉をケガしただけですんだけどね
物
トニー
物
私
直
あぶなっ私!!
でもでもホラ平たい方が視野が広い…なんてことは？
かなりなとこまで見えるよ
3本!
それか彫が深いとちょっと暗いってことはないのかね？
あーはいはいそうかもねー

なんだよー
もー
しかし
そんなトニーは
その昔
雑誌の取材で
人相占いに
行き
目がー
鼻がー
口がー
日本で
ヒゲなし
ボクの頭の形は
日本人に比べて
前後に長いよう
なんですけど
それは鑑定に
関係しないん
ですか？
と
聞いてみたが
答えて
もらえな
かった…
せっかく
気づいたのに
ねえ…
私
トニー
確かに
頭蓋骨の
形が少し
違うけど…
ボクの
場合…

強い風の中をすごいスピードで走ってる感じ…？
こう…端が流れて…
強風の中
全力疾走
無風
超無風
直立不動
いやいや
いいですねー
この勢いで顔の奥行きを測ってみま…
イヤです
きっぱり
なんでそんなこと知りたいの？
ん〜
人のいろんな形をかみしめたいと思いまして…
20cmの厚底をはいて背の高い人の視界を体験したいのと似てるかな…

でもそういうことを取りあげられるのがイヤだって人も中にはいるから気をつけないとダメだよ
ボクは興味ないだけだけど
ぐっ
でも私としては「違い」には「魅力」があると思うんだけどなぁ
日本人でも彫りが深ければ浪りるし
「みんな違ってみんないい」by金子みすゞの精神でやっております
そしてまた「違うもの」を排除しがちな日本社会にですね「違っていい」ということをお伝えしたいと…
じーっ
ちょっと
その親指…何？
あっいやトニー今鼻がかゆいんじゃないかなーと思って…
しんせつ
目は？
2.5cmはあると思うんだ
奥行き…
かゆくないです

語学オタクの血が騒ぐ
さあ今日も私は質問されています
「つかぬこと」ってどんなこと？
つかぬこと…
あれ？何がつかないんだろ…
なんか「突拍子もない」…みたいな？
「つかぬこと」関係がないことふさわしくないこと
あー「つながってない」の「つかない」かー
さらに「しょんぼり」って…？

あはは
「力なく
さみしそうに
している さま」
だよー
そっかー
「しょんぼり」
知らないん
だー
と
ウケて
いたら
あー
そっちの
「しょんぼり」
ね
と時々
知ったかぶり
するようになった
どっちだ
出合い頭に
衝突し…
「であいがしら」…
知らないのかな？
知らないっぽい
ねー
チラ…
…ウチの近所にも
欲しいよねー
「であいがしら」…
あるよーっ
いっぱい
うちの
近所にも！

そっか…「電信柱」の仲間かと思った…
あるいは「○○かしら」と同じとか…
じゃあ好きな日本語は?
う〜ん いっぱい あるよー
ん〜〜
…例えば
「時期尚早」
な…なんで?
音もいいし言葉に力があるよね
力?
時期尚早だと思われます
話し合いなんかでこの言葉がでたらそれはもうくつがえらない感じ

「まだ早いかもー」だとそうでもないんだけど…
和語だと…んー…「たりとも」とか
「一匹」？
あっでもこれは漢語だからダメかな？
いいえいいえそんなことは
「一度」でも「一匹」でもいいけど…
感じでてるよねー「たりとも」
あと「あえ」とか…
し…「しら」？
わかんないけど母音が続いてると美しいなーっと思って
私もわかってあげられないや…ごめんね…
あとね「輝け」もいいなあ 音も意味も字もいいと思う "光ってくずして"書くときれいで
↑しばらーく続く

日本語に限らず
いろんな言語に
興味があり
テレビの
語学講座は
時間があれば
何語でも見る
「日本語しゃべりすぎ」
と文句を言いつつ
パソコンも
アラビア語に
対応できる
ようになったよー
右から左へ
自分で改造する
リナックス派
しかしある時
レストランで
コックさんが
通りをながめていたので
顔を
長くして
待ってるん
ですか？
お客さんを…
え？
「顔」？
「首」じゃ
なくて？

いや「顔」だけど…
そうか日本語じゃないんだ「顔を長く」って…
何語なんだっけ…
もう何語かわからなくなっている
そして時には
グェーグェー…
トニーの部屋
ガラッ
トニー大丈夫!?どーしたのっ
ウェーアー
ん?
タイ語の発音練習をしていただけだった…
タイ語

トニーのつぶやき

外見について

人間は自分の種を、皮膚の色をはじめとする身体的特徴をもって白色人種・黒色人種・黄色人種と三つの集団に大別してきた。この分け方は意味がないくらい大雑把だと、ずいぶん前から考えるようになっていたが、自分の今までの人生では、たびたび「白色人種」という枠組に入れられてきた。だからこそ、「有色」と言われたとき、少しびっくりした。１９９８年、南アのケープタウンでのことだ。

南アといえば、１９９１年にアパルトヘイト（人種隔離政策）が廃止されるまで、人を「白人」や「黒人」、「有色」（一種の混血）などと分離していた社会だが、僕が訪れたときでも、社会においての平等はだいぶ進んでいたものの、区分けが残っていた。僕の地中海風の外見をパッと見て、「有色」と断定されたわけだ。

「彫りの深さ」でもって人の社会的地位を決める分離政策は聞いたことないが、人の皮膚の色の濃さ、髪の毛のカールの具合ならある。

面白半分であっても、また「素敵だから」と思っても、人の身体的特徴を測るのは慎重に。

tony talks to himself

ルポ 2

This ever happen to you?

ちょっとしたニュース

最近少し変わったことについて。
ポイントは…粘り腰の姿勢??

お部屋探しの困難ふたたび

しかし
この男は
何も
条件はないよ
安ければ
安いほど
いいじゃない
賃貸だもん
パソコン
その分
お金貯めて
将来
家を買おうよ
イヤ!!
ガマンする
何年かも
人生に大切な
何年かだもん!!
毎日楽しく
暮らしたい
もん!
一軒家願望もないし!!
予算オーバーの分
私が出せば
いーんでしょ!!
ゴオオオ…
トニーが
折れる率は
高い
いいですよ…
ボクは
こだわりが
ありませんからね
何も言いませんよ…
ええ
ということで
一人で探していたのだが
何軒も何軒も
問い合わせたり
見に行ったりしている
うちに疲れてきて
何がいいのか
よくわからなくなって
きたのです
C
B
A

である日
ねー
たまには
一緒に
見に行って
くれない？
いーいよ
大丈夫？
ぐったり…
すると!!
トニーのいろんな
こだわりが
発覚したのです!!
私は防犯上
1階を
避けて
いたのだが
庭が
あるよ！
いいじゃない
見に行って
みると…
いいですねぇ
庭ですねぇ
小さいけど
えーでも
庭の前の道
誰でも
入れるよ
あぶない
でもホラ
聞いて
鳥の声がするよ
すごいよ
都心なのに
うっとり…

ここで野菜を作ろうよ!!
畑予定地
じーっ
そうだけど…
自然に帰りたいのかいマイベアーよ…
えーーっ
震度5
ダメだよそんなの!!前に何捨てられてるかわかんないじゃん!!
化学的なモノとかっ
ねーっ
不動産屋さんも何か言ってくださいよ
ええ〜ん〜なるほどですね〜
どっちの味方もできない
まずトマトを!!
トマト命
ダメ!!
さっさと次の物件へ
屋上に出られるなんて素晴らしいね…

うん
気持ちいいね…
ここにソーラーパネル置いてさぁ
え？
名案♡
そしてすぐ下のボクたちの部屋へ電気を…
ムリ!!ムリだと思うよ!?
そお？聞いてみなくちゃわからないよ
聞くんなら自分で聞いてよ。
※この時は不動産屋さんがいなかった
いーよー
次の物件
あーちょっと狭いなー
やっぱり…
いいじゃない安いし
ボクこの辺にいるよー
↑重要

次
うーん
悪くないよ
キレイだし…
次
立地がいいじゃない
この部屋で頑張るか!!
ポジティヴシンキングにもほどがある
どれもいいのか
しかも
契約する前にちゃんと契約書を見せてもらってこっちに不利じゃないか確認しないと
というこだわりも…
いやー…それ正しいとは思うけど気に入った物件すらなかなかないのに…
できませんよ私には
で
ぐっ
やっぱり私に全部任せて…ちゃんとやるからさ
一人で部屋を決めたのだった
ううん引越する時まで楽しみにとっとくよー
決めた物件今日見れるけど…見る?
一人の方がラクな時もあります

値切る！9ヵ条
そもそもトニーが使っていたケータイの話から…
彼はかなり古い型のものを使っていたのだが
最後の方はかかってきても
はい
もしもし？
もしもーし
ピッ
ピッ
押してる
もしもーし

………
じっ
じっ
もしもし…こちらの声が聞こえてましたら自宅の方にかけ直してください
…もー買い替えたら？
いや むしろ買い替える＂べき＂
ぐっ
まだ使えると思うんだけどなー
最近調子よかったのに…
ぐっ
ぐっ
きっと太陽の黒点と関係が…
しかし実はこの時私はケータイそのものを持っていなかった
私が言うのもなんだけどケータイ押してる人なんて見たことないしそんな液晶…アリなの？
そんな液晶
死んでるゾーン

その結果
あれ？今何時だろ？
今ねぇ…
↑時計も持たない
2時台…だね
いやそれはうすうす気づいてるよ
これ「ピッ」って出てるとこみると…「1」かな？
14
12分…か43分…かなそんなとこ
たぶん
範囲せばまってないんすけど
今年の誕生日プレゼント…ケータイにするから！
私も一緒に買うし
と説得し…
ついに大型カメラ店へ
早速値切り交渉スタート！
このケータイいくらまで安くなる？
5千円引きですね！

①驚いた顔を見せるな
ごせんえんも!?
そんな顔しちゃダメ!!
②がっつかない
わかったちょっと回ってくるから
よろしく
驚いたまま
そしてその店の角まで来たら…
さっきの売り場
カメラ店
ここでもケータイのキャンペーン中だった!
キャンペーン?じゃあこれい――ちばん安くなっていくら?
キャン
③とにかくどこでも聞いてみる
ん――と
これ引いてこれ引いて…
今なら5千円です!
5千円!?「5千円引き」じゃなくて!?
元値1万5千円以上なのに…!?
驚くな
驚くな

じゃあちょっと検討してきます
よろしくー
…でほかの店も回りましたが最安値更新はならず…
ダメー
もういいじゃん今のとこで
④がっつかない がっつかない
最後に聞いた店では
値段を言ったらその場で絶対買ってもらわないとダメなんですよ!
こわー
香港では言われたことあるけど…このセリフ
ケータイ業界はどうなっていくのか…
さっきの店に戻ってきた
あれ…? さっき「5千円」って言ってた人がいない…
カメラ
キャンペーンギャル
しまった
⑤担当者の名前を聞いておく
あのー さっきここにいた男の人は…って いたらよんでください
あー さん…

あっボク承りますよー
今（顔）は他の仕事してまして、
あ「5千円引き」の人
あのねーさっき「5千円」って言われたんだけど
⑥念をおす
えっ誰!? そんな値段言ったの…
確かにそう聞いてるんでね
（顔）さん
じゃあちょっと聞いてきま…
そうしてくれる？
誰か責任のある人に聞いてきてそれでね…
ガシッ
⑦たたみこみ
⑧まとめて買う
同じの2つ買うから！あとケーブルも買うから！
その3点でいくらになるか見積もってきて!!
2分後
電卓
わかりましたその値段で出しますので…3点で1万5千円…

最初に覚悟してた1台分の値段割ってるよすごいなー
もう一声!!
ええ~っ
この人…ひど!!
いやーもうホントギリギリで!!…
消費税分とか!!
要するに「交渉」が好き
サイフ
⑨無理を承知で!!
わかりました…では1台につきあと2百円ずつお引きします
ピピピ
でもわりとすぐ返事したんだけどね…
ありがとう
おだやか光線フルスロットル!!

さて今回は私
値切りを
「見て見ぬふり」
しましたが
普段は
「お店の人」と
トニーの橋渡し役も
やります
それじゃあ
ちょっと
買えないなー
ねっ
まあまあ
お店も大変
でしょうから…
ねっ
そーなん
ですっ
役①
「買う気の
ない
キビしい人」
役②
「商品も
ホメるし
店側の
気持ちも
くむ人」
二人一組だと
値切りやすいのです
たまに
奥様も
大変
ですねー
と同情されるが
そうとられても
効果アップ!
デカ用語で
これは
「グッドコップ
バッドコップ」
って感じだね
「グッドコップ
バッドコップ」とは
刑事が
取り調べの時
「恐い刑事」と
「優しい刑事」を
演じること
犯人に
供述させる
ため
コラーッ
まぁ
まぁ
ケッ
ほかの時にも
応用
できそう
ですよね

はじめてのお料理

外国人と
結婚していると
いっても
朝ごはんだよ
ハニー
こんなこと
うちでは
ありません
!!
料理全般
ダメですから!
ハナから期待せず
要求もしてなかったのだが
ぐー
ある朝…
トニーは
早起き
ガタ

フラリ…
あ…
トニー…
さあ起きて
無言のまま↓
ほら
シリアル牛乳がけ
よかったね
無言↓
ナデ
じゃ…
無言…↓

ぱく…
これじゃベッドでモノ食べるモノグサーじゃあないのか!?
monoguser
水飲みてーっ
ナッツと穀物満載
さらにある日
ボクごはん作るよ何がいい?
えーっホントに!?
太平洋に浮かぶ小島日本…
この国では
「初めての料理」は「カレー」と同義語である
と思う…

トニー「日本のカレー」でいい？
いいよ
キライじゃないよ
じゃがいもとにんじんと…
「カレールー」は2種類買ってきてね
2種類を混ぜた方がおいしいんだよ
なんで？
わかったじゃーねー
…そして買ってきてくれました
同じ銘柄の「辛口」と「中辛」を!!
成分同じなのでは!?
すてきなカレー
辛口
辛口
すてきなカレー
中辛
中辛

こっこれを
2種類と
いうのかっ
…!?
しかーし!!
「ほめて育てよ」
これ基本!!
ありがとう
トニー!!
これで
おいしいのが
できるねっ
疑問には
そっと目をとじて
カレー作り
スタート!
まず
じゃがいもの
皮むいてね
OK
といって
しばらく
目を離していたら…
この人は
とっても大きな
じゃがいも
3個を
むいて
しまった!!
なんなら
まだ
むけるぜ
めちゃ
でかいの
どーーん

ふたりには…ど…
どう考えても多い…
他の料理に
使えば
よかったのだが
この日私は忙しく
カレーとサラダ以外は
作りたくなかった
さらに私自身カレーを
作るのは8年ぶり
普段は外で
インドカレー
あれ…？
このくらい
大丈夫かも…？
じゃあ
じゃがいも
全部
これくらいの
大きさに切って
水に入れて
結果
大きさが
バラバラに
なっても
くずれちゃうしねー
あー
いいんだ
けど
もう少し
大きさ
揃えた方が
いいかな？
非常に
やんわりと注意
だって
普段
ボクが何かしても
「ありがとう」の次に
「でも…」ってクレーム
つけること多いよねー

そうかな？
ごめんね
謝っとけ
謝っとけ
とにかく
料理作れる人に
なってくれたら
どれだけラクか!!
野望
もちろん
ニンジンの切り方が
私と違ってたって
何だというのだ
イチョウ切りの太いの
私は乱切り派
トニーは
真剣に
なると
非常に
フキゲンに見える
ジュー
ジュー
すごいね
トニー
おいし
そー！
気疲れして
きた私…
険しい
険しい
トニー…
どんどん
カサが増して
ゆくナベ…
しかし…やっと
できあがりました

およそキャンプでの
一班分!!
大量のカレーが!!
2種類の「ルー」も
使いきった
よかったー
2コって
言って…
自分に
かんぱい
誰がどう作っても
フツーにおいしくできる
日本の「カレールー」は偉大だ
野望モード
まあまあ
うまく
できた?
おいしい!!
すごく
おいしい!!
レシピ
貼っとこう
それは
レシピじゃ
ないよ…
買物
メモ…
その後
スープを
作ってもらったり
野望は静かに
現実化している…
かも…
フン
フ～～ン

敷金返金運動

ある時
引越しがすんで
3カ月ほど
たっても
不動産屋
さんからの
音沙汰が
ない…
どーしよー…
敷金が
どうなってるのか
聞くか…聞くまいか
バタ
バタ
悩む〜
なぜか
というと
一度墨汁を
床にぶちまけたので
壁紙に
そのシブキ跡が
ついていたから
床のはとれた

もちろん部屋を出る時修正用絵の具で塗ってみたものの
ちょい ちょい
テカるのよねーこのテの絵の具は
ナナメから見るとバレバレ
このほかは後ろめたいことはなかったのだが
汚した部屋はLDKで結構広く
LDK
壁紙は一部が汚れても全部貼り替えるはずだからなぁ…
思いきって電話してみたところ
まだ大家さんから連絡なくて…
きたらすぐご連絡しますね
…そしてその後一枚のFAXが届いた
一体いくらかかるのか
でも長く住んだし減価償却を考えれば全額払わなくていいはずしかし
むぅ〜

えええっ!?
どーした
どーした
見積り書
1. 壁紙の汚れによる貼り替え代
2. 天井のペンキ塗り替え代
(コゲ跡あり)
3. トイレットペーパー台交換工事
4. ベランダのガラス取替代
(ヒビあり)
5. クリーニング代
レンジフードカバー代
ズラ～ッ
払った敷金以上の金額がそこに書かれていた
「天井のコゲ」って何!?
ベランダのヒビも元からだよ
トイレットペーパー台って何のこと?
しかもトイレットペーパー台交換費用3万円!!
コレを替えてないのに「無断で替えた」とされていた
ネジ2カ所とめるだけなのに…!
なぜこの時初めてこんなことを言われたかというと
退居する時誰も立ち合いがなかったのです
「後から大家さんがチェックする」伝統らしく…

「立ち合いナシ」は
向こうの落ち度だが
さてどうする？
日本では敷金は返らないんじゃないの？
ボクでも交渉したことないよ
私ずっと返してもらってきたし
そんなことないよ返してもらえるよ
ちょっと調べてみる
敷金を取り戻すための資料にはどれも
●「調停」や「少額訴訟」という手段もある
●賃借人が勝つ場合も多い
●写真は重要な証拠
などなど
ここで問題が
失敗した…
私たち入居の時も退居の時も写真撮ってなかったね
賃借人を助けてくれる組合にも電話してみた
写真がないのは残念ですがやれるだけやりましょう
泣き寝入りは絶対ダメ!!
はい…

少額訴訟は
審理が一回のみ
その日のうちに
判決が出て
費用もそれほど
かからない
らしい
家賃問題を
たくさん
扱ってる
みたいだし
最終的には
少額訴訟も
起こす覚悟で
やろう!!
というわけで交渉開始
不動産屋さん
一つ一つについて
そちらの言い分を
書いてくださいね
大家さんは全額払えとは言ってませんが
まず
払うものを
書き出し
壁紙
貼り替えの
一部と…
後は感情を入れずに
言い分を書きまくった
①天井をこがしたこ
一度もなく…
②トイレットペーパー
替えておらず
最初からついて
③ベランダのガラス
元々ついていた
アンテナをつけ
FAX2枚に
ピッチリと
大家さんは
年配の女性だったのだが
私が許可を得てやったことも
許可したことを忘れており
電気屋さんが
いろいろ
覚えてると
思うので
聞いてみて
ください…

周りに聞いてみた途端
大家さんは丸腰に
なったらしく
条件下げて
きましたよー
最終的には
敷金半分
お返し
します
やったーっ
パチ
パチパチ
住んでらっしゃる時
小栗さんたちとの関係も
悪くなかったし
と言ってらしてね
イヤなことも
ガマンしてた
だけなんだけど
というか
やっぱり
大家さんの
気持ちひとつ
なのか…
とにかく皆さん
入居する時も
退居する時も
日付け入りで
写真を撮りましょう
きっと強い味方に
なってくれます!!
今は私も
ちゃんと
撮ってます!

はまれることは、幸せだ

痩せやすい、あるいは太りやすい体質の人と同様に、「はまりやすい体質」の人もいると思う。ちょっと気に入ったことをやり出したら、すぐ病み付きになってしまう人。常習性が付きやすい競馬やアルコールなど、ほどほどにできればいいが、財産も健康も蝕まれるきっかけにもなる。僕も何にだってはまりやすい。目が真っ赤になるまでコンピューター・ゲームをやりすぎて、今でもゲームを全て削除してある。

一方、そんな体質をいいように使うこともできる。要は、どうせなら、生産性のあることにはまればいい。僕の場合、それが「研究」だ。調査し、その結果を発表したり、他の人の学習を助けたりするのも、たまたま気に入ったことの一つなのだ。いくらやりすぎても、教授や学習は体にそう害を及ぼすものではないので、僕は自分のはまりやすい体質を生かし、一生「研究」にはまったつもり。オタクと言われるのは、いささか気になるのも事実だ。しかし、自分がはまってもいいものを見付けるのは幸せへの道の一つと考えている。

告白

気づいて！

電車の中で…
ガタン
ゴトン
あっ ボクと同じケータイ！
ブンブン
ブンブン
気づいてー
ぐっ
ああ…
ハッ
ウフ
満足…
このあとどうすればいいのか…！！
ナンパと思われたかも！！
忙しく作業するフリをするのだっ
あー忙しい忙しい
社交的なのかシャイなのか

ルポ 3

Off to meet the in-laws

家族について

あたりまえですが、お義母さんも外国人。
プチ文化交流の担い手として、力がはいります。

母とトニー
母にトニーとの衝撃の出会いについてたずねると
あれはねぇ神様のおひきあわせとしか思えないわよー
衝撃の出会いとはトニーが持っていた一輪車で私の母を(そうとは知らず)ひいたというものだが
くわしくは「ダーリンは外国人」を見てね!
ガツッ
今ではすっかりトニーの味方
この間ケンカしたよー
トニーと
トニーくんは悪くないやろ
内容もきかずに
そんな母とトニーの会話とは…

4月だったので
お母さん寒くない？
大丈夫！6枚くらい着てるから
6枚…!?
おう
それは上下あわせて6枚ということですか？それとも…
「上6・下5」よ
ホホホ…
ほーう
それはすごい
ねえねえそれよりトニーくん占いって見るー？
あー…ボクはいいですぅ
ガサゴソ
信じないっていうかむしろ信じちゃうから見るのがイヤなんだよねー
ええ ええ なんとでも言ってください

違うの
トニーくん
この新聞の
占いはね
格言なの!!
とーっても
いいことが
書いて
あるのよ!?
あー
確かにねー
「軽い気持ちで
小罪を
おかすべからず
小罪は
大罪へと
つながる」
どれどれ
ねーっねーーっ
じゃあ今まで
読んだ中で
あなたの好きな
格言を言って
みてください
ってていうか今
「あなた」って
言った…!?
日本人なら
あり得ん!!
英語なら
Youだが。
それはねー
今パッと
思いつかないけど!!
まったく
身になって
おりません
さらに
よくトニーは
今日の髪型
ステキ
ですねー
とか
その服
お似合い
ですねー
あら
ありがとう
もう
やめとけ
その辺で
やめとけー

帰りぎわには
あのね トニーくん 階段は斜めに のぼるとラクなのよ!!
だまされたと思って今度はやってみて!!
じゃあねー
どう思う? あののぼり方
ボクが思うにね…
お母さんはいつも左から右にのぼるね!!
大発見!!
反応するのはそこなの…?
フシギなもので人間 右から左にはのぼりにくいのよ トニーくん!!
そして後日
もしもし? この間ねぇ トニーくんに格言を聞かれたでしょ?
うん
一つ思いついたのよ「情は人のためならず」
はぁ… でもそれはあの占いとは関係ないんじゃ…
それでね
きいてない

今日私はらっきょを漬けました…
なんで急にですます調で!?
ポエム？、っていうか意味わかりません
いやいやさおりを大事にしてもらってるしトニーくんのためにねぇ…
確かにトニーはらっきょ大好き(というかお漬物全般)
たまにもらう母のらっきょもバリバリ食べる
ポリポリポリポリポリポリ
あるだけ食べてしまうので盛りに気をつける
…ということじゃなくて
よく考えると「情は人のためならず」って「情を人にかければ回り回って自分のとこに返ってくる」ということわざ…
じゃあ結局自分のためにらっきょを漬けたのではないのか!?
フフフ…
この母は…

ま、いいけどさ
あの この前「あなた」って呼ばれてたのはどう思ってんの?
そうねぇ「あなた」はないなぁ
私ねぇ「お母ちゃん」って呼んで欲しいの!!
え!?
「ちゃん」!?
だってー誰もそう呼んでくれんけどね「日本の母」って感じでええんやない!?
トニー…お母さんが「お母ちゃん」って呼んで欲しいって
「ちゃん」…!?
それは…ムツカしいかなぁ…
まぁそれって日本人でも言わないだろうから…
ね
そうねーじゃいいわ「お母さん」でー
ところでトニーくんのために大きなサイズの靴屋さん見つけてねー…
母の野望は散ったが不思議なおつきあいは続いてゆくのだ…
ホラ行きゃ!
↑らっきょ山盛り

トニーの家族に会う

私は折紙を折っていた

トニーの弟には子どもが3人いるので
点数を稼がねば!!
ぶっちゃけ
いやいや私めが日本文化の紹介をせねば!!
やさしいおりが
野望うずまく心
浅草にジャパネスクな物を買いに行く!
つきあって
ほい
姉
(アメリカにホームステイしていた)
いろいろとお土産に悩んだり向こうで作るための日本食を用意して

現在アメリカ東部に住んでいる家族のもとへ…
空港にて初対面
ナ…ナイストゥミーチュウ
あいさつ以外ほぼトニーの通訳で

漫画家なんですって? 本か何か…見せてもらえる?
あ…持ってきてないです…
しまった
日本語読めないしと思って…
最初から後悔
まずトニー母が一人で住む家へ
トニーはこの家で育ってないのでお客様状態
黒いでかい犬2匹（リスも2匹）
何でも使っていいから自分でやってね
働いていて忙しい
いろいろ世話をやくうちの母とはちょっと違う
お土産を渡すと
オウ! きれい!
すてき
鏡
などなど
特に反応がよかったのは
パッケージがコケシになっているお菓子
豆
あられ
なーんてかわいらしいの!? 信じられないわこの細かさ!!
見た!? トニー
?…

でも中身はどうかなーちょっと食べてみて
ポリ…
次の日は車で2時間ほどのトニー弟の家へ
郊外
ものすごいうろ覚え…
…
んー…
い…今ひとつ…?
正直だ
早速特訓の成果を披露
しかし鶴を折っただけで…
すごい!
アメージング!!
大絶賛!!
おおげさ…
NO!
私は前にやったことあるけどできなかったの
簡単だよ一緒にどう?
私やってみるー
もうダメ…
やっぱりできないのだつた
角をあわせるのがすでに苦手↓なので
どんどんズレてくる

そして何日か後に「日本食の夕べ」を開催
奥さん方の家族も来てくれた
海外で日本食といえばこれしかないでしょう
ちんらし〜♪
すし太郎!
すし太郎
このほか日本から持参したのは
パックのごはん3コ
ごま
ごまドレッシング
てりやきソース
お漬物
悩みぬいたあげくの「つぼ漬」
フリーズドライねぎ
かつおぶし
ふ
おみそ
だし
だし粉末
おはし
などなど
あとは現地で調達しました
薄焼き卵を作っていると…
じゅわ〜
あらー見て!
あんな調理の仕方…
まあ!見たことがないわねー
トマトとお豆腐を並べただけで…
ワーォ!
ビューリフォ!
すてきー
すごいリアクションの嵐である

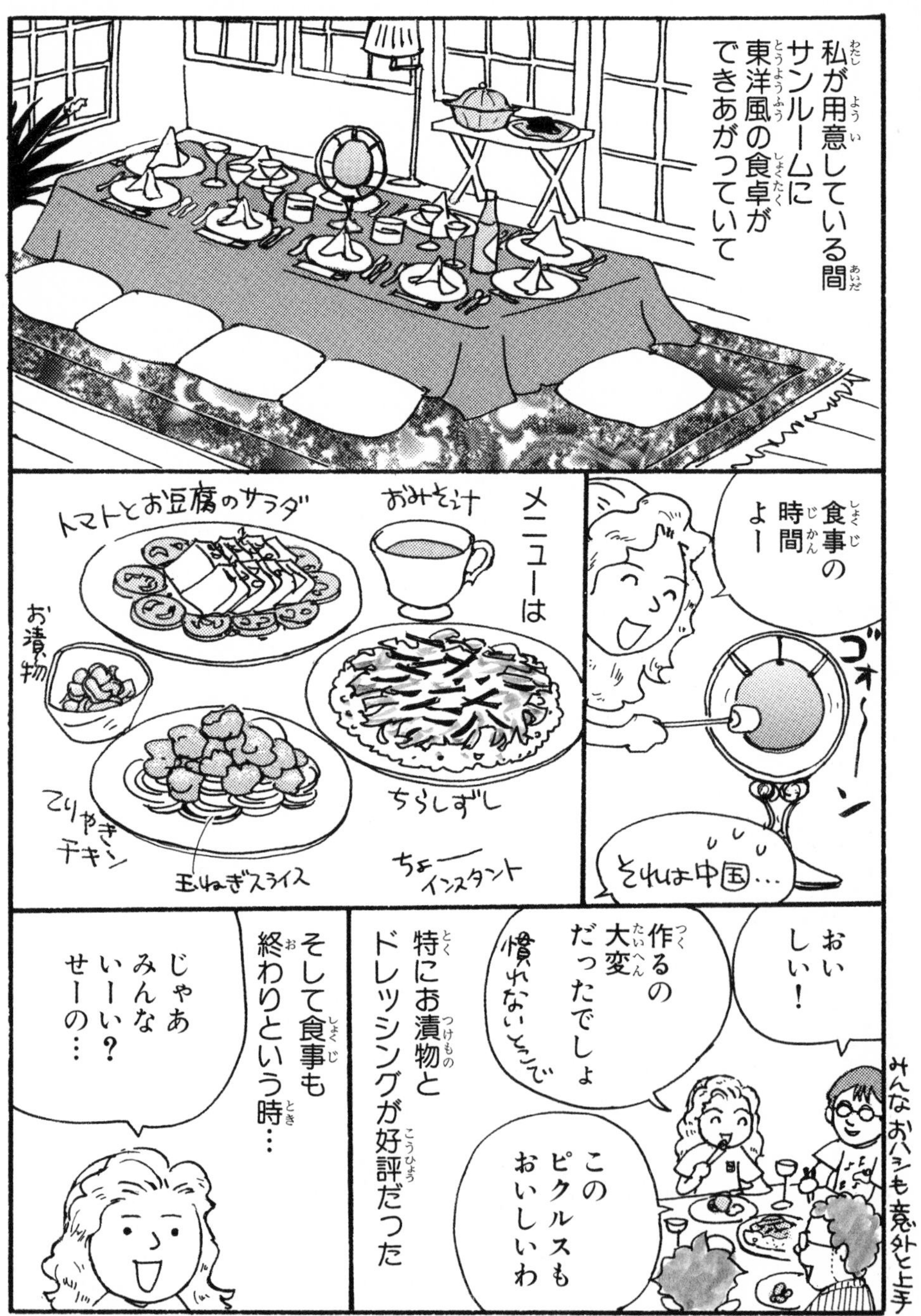
私が用意している間
サンルームに
東洋風の食卓が
できあがっていて
メニューは
おみそ汁
トマトとお豆腐のサラダ
お漬物
ちらしずし
てりやきチキン
玉ねぎスライス
ちょーインスタント
食事の時間よー
ゴォ〜ン
それは中国…
おいしい!
作るの大変だったでしょ
慣れないとこで
このピクルスもおいしいわ
みんなおハシも意外と上手
特にお漬物とドレッシングが好評だった
そして食事も終わりという時…
じゃあみんないーい?せーの…

日本語で
ごちそーさまー!!
なんとトニーがそう言うように提案し紙を配っておいてくれたのだった
なぜかビビる
ノートの切れはし
Gochi so-sama
ステキな話の主人公が私は!?
そして帰国前夜…
そういえばお義母さんに絵とか見せてないから…
徹夜で絵を描き
出発当日先に職場に向かう義母を送り出してから
テーブルの上に絵を置いてきた
お義母さんはそれを額に入れて飾ってくれているそうだ
Thanks for every thing Mom!
Love, Saori & Tony

かのこと一緒

私たちにはまだ子どもはいませんが

命名かのこ

姉夫婦に赤ちゃんが生まれました

生まれた当初は抱っこできたものの…

同じ種類とは思えないほど大きさが違っていた

1年後

……

←つかまり立ち中

じーー…

じーー…

ものすごく見てる

興味あるんだね

姉（かのこ母）

じゃあ
もっと近づいて
みる…？
うあああ…
近づくと
恐いんだね
しかし
遠ざかると
また見るという…
シゲキが
強すぎたか
じーっ
まぁ…
ゆっくりとね
近づいて
いこう
問題は
たぶん
ヒゲ

前に道で外国人の子どもたちに出会った
ピヨ
ピヨ
ピヨ
迷子防止にロープ持ってる
その中の一人がじーっとトニーを見て…
ん？親近感？
と思ったら
おじいちゃん
と言ったのだった
確かに!!子どもから見ればヒゲ＝お年寄りだよね!!
あはは…
……
さらに赤ちゃんだと
この…顔半分が黒い人はなに…？
と感じているに違いない
言葉として考えてなくても

私にはヒゲがないから油断しているのだろうが
時々食べようとしているので私の方が危ないのよ
あぶー
娘のピンチを母が激写
トニーも努力はしております
パク
パク
口がパクパクする人形
ほーら犬とクマだよー行ってみなー
パク
パク

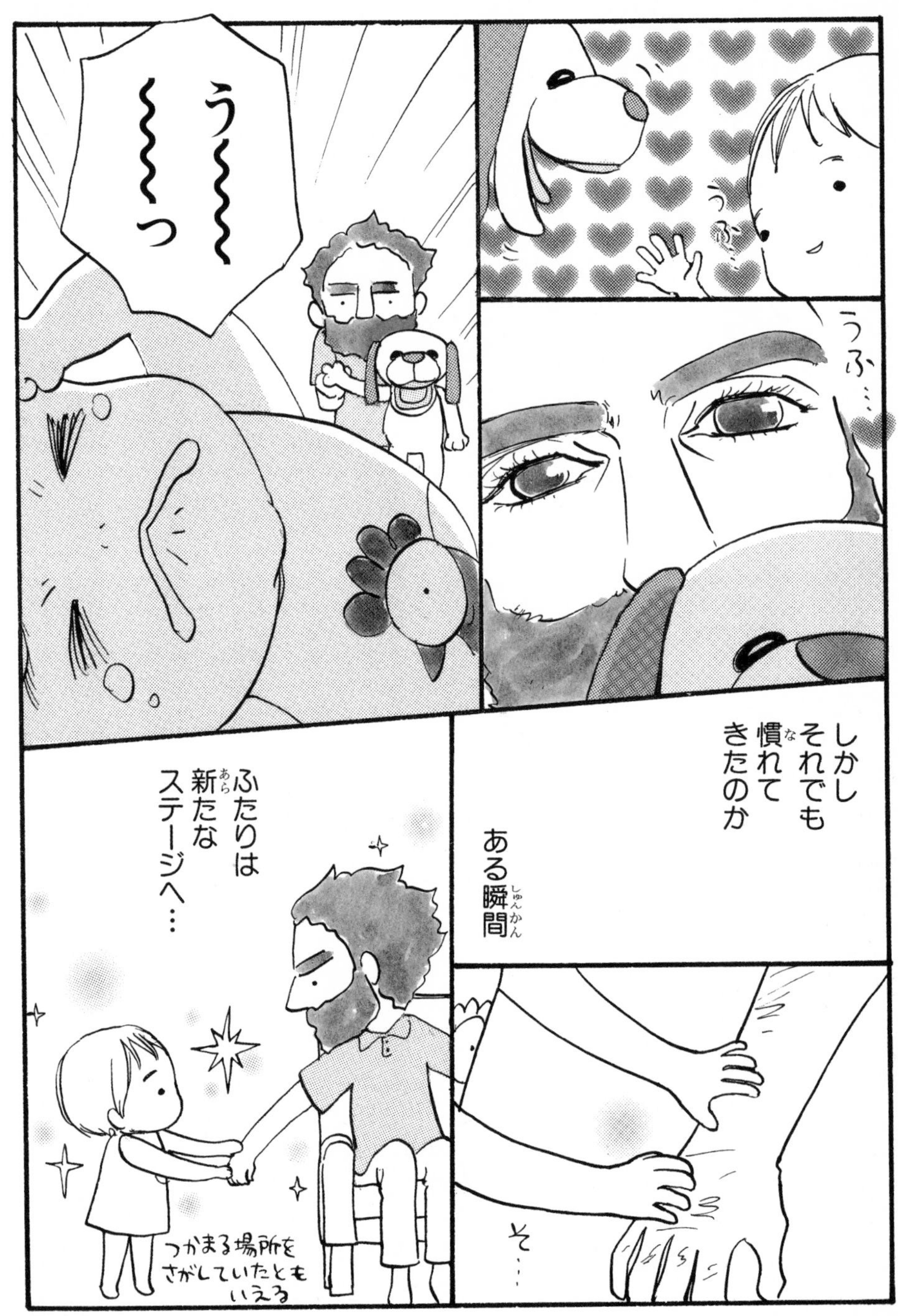
うふ…
う〜〜〜っ
うふ…
しかし
それでも
慣れて
きたのか
ある瞬間
そ…
ふたりは
新たな
ステージへ…
つかまる場所を
さがしていたとも
いえる

またある時は車に乗っていて…
私
母
かのこ母
かのこ父
かのこが軽くぐずり始めた
あーん
あーん
一定のリズムで言う
合いの手を入れてみた
あーん
あーん
すると母も参加
あーん
あーん
さらにトニーとかのこの父も参加した結果
あーん
あーん
この人たち…
大合唱のまま走っていったのだった
あーん
あーん
あーん
あーん
のんきだ

母とトニー2
またある時
3人で
おりますと…
…それでね
「ズボラなこと
したらあかんよ」
って言ってね――…
ん――…
「だらしない」
とか
「いいかげん」？
「ズボラ」…？
「ズボラ」って
何です
か？
でも
そういえば
なんで
「ズボラ」って
言うん
やろうねぇ

わからない言葉は
必ず調べる
ずぼ…
ずぼら…
ずんべら
ぼん…？
ずんべら…
次会った時には
「ズボラ」は
「ずんべらぼん」
っていう近江の
方言からきてる
みたいですねー
え〜
「ずんべら
ぼん」も
知ってとっ
たけど…
そこから
きとったのー？
知らんかった
ちなみに
岐阜っ子
ずんべらぼん＝のっぺらぼう
つるつる
そして二人とも
チョコが大好き
トニーくん
どれに
する？
私はねー
それ
いいですねー
↑ケーキセットのケーキを
選びにいっているふたり
しかし
ホントーに
おいしいね
チョコって…
食べ始めたら
もうちょっと
もうちょっと
…って
止まらんのねー

まあ私に言わせれば
板チョコは一ぺんに半分は食べんと意味ないね
め…名言…
そして
おいしーい!! おいしいねトニーくん
おいしいですねぇお義母さん
これも食べていいよ
どれどれ
おいしー
わぁ
これもどうぞ
いいの？
お母さん…子どもみたいだね…
あー
年とると子どもにかえるって言うもんねー
母よ…
どこ吹く風

おまけ母

孫が生まれて嬉しい母
かのこの写真集を作って配りまくった
かのこ
うちにもきたので見たところ…
かのこ
かのこ 4ヶ月
ママ 家の前で
かのこ 6ヶ月
ママ 20歳のころ
なぜか最後は若かりし頃の母の写真集に!!
しかもサイズ特大

トニーのつぶやき

1個しかない脳だから

アインシュタインは自分の電話番号を覚えていなかったと伝えられている。あれだけ頭のいい人なのに…。「なぜ?」と聞かれたら、彼は「本で調べられるものは覚える必要あるか」と答えて、電話帳を引きはじめたという。この話は本当かどうか、はっきりしないところはあるが、いずれにしても僕はこの哲学に賛成!

僕は自分の身長や体重、そして電話番号や住所を覚えようとしないが故に、覚えていない。つまり、バカだからではない。一個しかない脳だから、余計な作業で使うよりは、世の中の神秘を考えたり、問題を解決したり、何かの大発見に向けて想像したりするために使いたいものだ。

年齢はどうだろうか。人間は「年は関係ない」とよく言っている割には年齢をやたら尋ねる。僕は年も覚えているわけでないので、そう聞かれたら計算することになる。幸いなことに、生まれた年は1960年というとっても覚えやすい、というよりは忘れがたい数字になっている。ちょっとした引き算で答えは割り出せるのだ。

さて、今年は何年だっけ…。

tony talks to himself

感じる？

今日はより感じた日…

なんかいいことがあったんだね…

ざんげ

友だちの子どもにもやりますーほんとすいません…

ルポ

4

Where our twain doesn't meet

ちがうとこ、まだまだ

互いの違いを楽しめるかどうかで、
毎日って劇的にかわってくる。はず。

ふたりのちがい

私たちはいろんなところが違います

食べ物の好き嫌いも違うし

生ガキ好き!!

私が食べられる貝の大きさはハマグリまでです

シジミ　アサリ　ハマグリ　ムール　カキ　サザエ

ウニがちょっとダメなのは一緒…

ぽつん…

睡眠時間も違う

トニー　約6時間

私　約8時間（ホントは10時間寝たい）

12 1 2 3 4 5 6 7 8 9 10 11 12

しかし私は徹夜ができるけど トニーは必ず少しでも眠らないとダメ

おやすみー

おやすみー

たまに徹夜すると

6時間後
おはよー
おはよー
だっ…大丈夫なの!? ボクが寝る前と同じ形のままだよー!?
ドキドキ
ボク寝て起きたのに…まったく同じ…同じ形…
大丈夫大丈夫
語学も違う
英会話学校行こうかな〜
えーどうして?
自分でできるじゃないお金払う必要なんてないよー
好きじゃなかったらおぼえられないでしょー!?
好きじゃないけど必要だからやる人もいるんだよー
トニーは語学が好きだから自分で勉強できるけど私にとっては単なる手段だからさー
もーとにかく学校に行く!!
…まあさおりの好きなようにすればいいと思うけどね
反対はしないよ
ということで英会話学校に行っている
→引越してやめてしまったが

しかし何といっても
大きな問題は経済観念
ふたりで住み始めた当初
ガラーン
ソファ買おうよ
えー!? いらないでしょ
クッションでいいじゃない
いるよー!! テーブルとイスも絶対いる!!
テレビ台も! 棚も!
えーいらないよ 何か工夫しようよ
もらえるならいいけど…
うるさい!! 絶対必要なんだから買ってくる!!
なんだよ工夫って!!
ダッ
まあ さおりの好きなようにすれば いいけどさ…
遠くからきこえる声
で 買ってみると
パアァァァ
いいねぇ…!
素晴らしいねぇ!!
さおりの言う通りだ
私より エンジョイ!!
ほら見れー

別の部屋の
テレビ台も…一つは買ったけどもう一ついるなー
え－？出窓に置けばいいじゃない
窓辺が暗くなるじゃんビデオ置場もいるしさー
じゃあ
作るとか？
ああ作りますとも!!
ガンゴン
美術畑出身はこのくらいできるんじゃ！
いいねぇ！素晴らしいねぇ!!
ぱ――ん…
パチパチ
「作った」ということだけで大喜びのD.I.Y.好き
フン

トニーの
机もいるでしょ
うーん…
でも誰かにもらうとかできないか…
作ります!!
しゃらくせぇ
ガンゴン
いいねぇ!
素晴らしいねぇ!!
パチパチ
「作った」という
ことだけで…
以下同文
しかし これだけ頑張っても…
どお?
ねーねー
引越ししたーい
どうして?
いいじゃない
ここで…
えぇ〜
狭いし
不便なこともあるもん
ふうん…でも
ここでボクが
何と言おうと
結局さおりが
したいように
やるんだよねぇ
だから議論しないんだ
ボクは

いつもボクがおれてるんだからね!!
ソファもテーブルもいろいろとさー
同じ日々のはずなのに見方が違えば思い出も違うという驚き
自分がゆずっただけが思い出に残っている…
でも違っていていいことも あるのです
私が風邪をひいても
ゴホ ゴホ
トニーにはうつりません
大丈夫?
トニーがひいても
ゴホ ゴホ
私にはうつらない
薬がイヤでビタミンCしか飲まない
私は風邪もらいやすいのに平気
違っているところを「イヤだ」と思うか「面白い」と思うか
そういうところで毎日は変わってくるという感じでしょうか
弱っている時やわらかいものを食べたいのは同じだ
おかゆっていいよね

家事は大変

トニーに洗濯を頼みますと…

かたまっておりますね

まあしかし「できあがります」というか

単に「やりました」に近い

それでも真剣に洗濯機と向きあえばやがてできあがります

できあがった物を取り出すまではよいけれど

シワーーーッ
干し方がね…
パンパン
パンパンってして!! ほらほらパンパンって!!
こうしないとシワが取れないじゃん
なんで？
ほーう
パン
パン
ホッ
しかし
あーすっちゃってるよ…
それにいろんなリクエストはできません
ネットに入れた方がいい物はネットに入れてね
↑この日本語もヘンだが

「ネットに入れた方がいい物をネットに入れる」…!?
どういうこと!?
だから柔らかい生地の物とか「手洗いマーク」の物とか…
「柔らかい」って…どれが「柔らかく」てどれが「かたい」の?
だからー…
まいいやネットに入れるまでは私やるよ
時間かかるわ
こういう時にうっかりなんでそんなこともわかんないのー!?
と言ってしまうと急転
わかんないよそんなのなんでそんな言い方するの?
だってフツーわかるでしょ!?
フツーって何!?
ケンカになってしまい物事は解決いたしません

ネットの分別は難しすぎるので
あーちょっと洗濯物すっちゃってるよ
あくまでも軽～いタッチで
簡単なことだけ直してもらえるように
考えてみれば私の常識＝世界の常識じゃないわけで
例えば包丁の置き場所
私は包丁を使った後乾くまでココに置いてきました
モノゴコロついてからずっと
がトニーは
ここに置かないで危ないから
だから洗ったらすぐ扉のとこにしまおうよ
えー水がたれるじゃん
危ない？別に危なくないでしょ
見えてるもん
よく横向いてるし
ボクが食器洗ってふせてる時ケガする可能性があるよ
そんなの1、2滴だよー
ぜったいウソ

トニーにしてみると
自分はオッチョコチョイである
気をつけているつもりでもふとした時にケガをしてしまう
危険要素は省いておくのが一番
というのが常識なのですね
まあトニーがケガしないのが一番だからねー…
じゃあわかった努力するよ
ありがと
これはうちでは定番になった言い方（トニー発祥）
「そうする」ではなく
そうできるよう努力してみるよ
すぐ直らないこともあるけど
「そうする」って言ったじゃん
という怒り方は減ります
トニーが食器を洗うのも最初は
この辺の汚れが落としきれてなかったり
早く洗ってくれなかったり
イライラすることもたくさんありましたが

最近はそんなに
文句を言うこともなくなりました
しかし!!
前著にも描いた
こうするより
こうした方が早く乾くので
「お茶碗を重ねないでくれ!」
という私の願い
お茶碗が「ボクたちを重ねて!」って言ってるんだよー
そんなこと言われた?
うん
「さおりはわかってないんだ」
「重ねてみて!!」
「ありがとう!!」
えー
お礼まで?
そうそう
耳をすませてみて
いやお茶碗は「重ねられない」ってよさをわかってないんだよ
改善は牛歩のごとし…
でも「まいっか」の精神で見逃しております

マンガと日本女子

漫画に関して

外国人は二つに分かれると思う

漫画で日本語を覚えた人と

覚えてない人(日本語ができない人含む)

Aさんは

漫画いいよねー面白いよ

Bさんはたいてい英語で

日本に来たら電車の中で大人がみんな漫画読んでて驚いたよー

紙の無駄遣いじゃないの?

大量だし

と
ケンカを
売ってくるので
カーン！
どっからでも
かかってくるがいい
それだけレベルが
高いってことだよ！
はいっ
訳して！
ケンカ腰は
よくないよ…
訳すけど
「日本の漫画」に
文句を
つけてくる人は
「日本の漫画」を
読んだことの
ない人が多い
その理由は
日本語が
読めないから
読め！
って話
なんか
言うんなら
トニーに
よる
外国人への
説明
日本の漫画は
ドラマや映画に
近いんだよ
でも よく言われるのが
コレ
エロティックな
ものが多くて
子どももすぐ
読めるでしょ
よくないよ

そういう漫画を子どもの目につく場所で売ったり読んだりすることと漫画の本質は問題が違う
売る場所を規制するのはいいと思うけど
ちょっと日本にくわしいと
でも絵も字もあるから頭を使わなくてバカになるって日本でも言われてるんじゃないの？
それなら映画はもっとダメだねもっと音までついてるんだもんね
ふーん…
グル
グル
一応の終了
正しくは「漫画でも…」だけど
ボクは「漫画で日本語を覚えた派」なんだけど…
でも漫画のルビって最初すごく便利だったんだけど
3カ月くらいしたらものすごくジャマだと感じ始めたね
とっても人間的で勝手なご意見ですね

さて
漫画と並んで
もう一つ…
バカにされがちな
モノがあります
それは…
日本人女子
悲しいことに。
日本の女の子といえば…
スゴーイ
カワイーイ
モノマネしてます
日本に来たら
「スーパーマン」に
なったかと思ったよ
引き続きBさん
いつも
注目されるし
英語話せば
すごーい
かっこいーい
ねー
まあね
確かに
そういう人が
いるのは
認めましょう
おちつけ我

電話番号聞いても
たいてい
教えてくれるしね
まぁ……でもみんな
同じような感じ？
髪型も服も話し方も
ブランド好きなのも…
よ〜く見ると少しだけ違うけど
カーン！
また
グローブを…
ギュッ
あのさぁ
日本人の
女の子
バカにしないで
くれる!?
カフェーでタンカ
あなたの周りに
いる女の子は
みんな同じに
見えるかも
知れないけど
その子たちも
「外国人なら
誰でもいい」って
思ってんじゃない？
…って
訳して
ペラペラ
ペー
……

あら？「バカにしないで」しか訳してないでしょ
きみ頭悪くないみたいだねー
なんで漫画描いてるの？
どこがいいのか教えてよ
だって…言いすぎだよ
どっちが!!
しかしガンガン言い返しても
なんか果てしない距離にくだけつつ…
あの…結局要約するとこうですね
日本の女の子はニコニコ笑っていて優しいが自分の意見がない
と見られる
タオル
これって…思えば日本人男子が望んできた女子像だよね
仕事でも
それに合わせなくていいけど
それはよくわかんないけど
どんな生き方を選ぶか…は自分次第だからねぇ

うん
それに
外国人に
合わせる
必要も
ないと思う
ただ！
こういうハガキや
メールを見ると…
フクザツな気持ちに
なります
子どもの頃から
目指せ！
国際結婚
です
私も
絶対!!
国際結婚
するつもり♡
どうしたら
外国人の
彼ができる
私の本を読んで
いいとかではなく
私は「国籍は
関係ない」って
言いたかったのに
なぁ…
私は国際結婚目指してなかったし
どこかで
またモテて
調子にのる人が
いるんだろう
なぁ…
いろいろかけめぐる
脳内
そしてさらに
日本人女子は
「簡単」だって
思われるかも
……
人の好みは
私にどうこうできる
問題ではないけれど
もし誰かに
自分に興味を
持ってもらいたい
と思うなら
何か一つでも
「語れるもの」を
持つのは
どうでしょうか
自分には
ウリがちゃんとある、
という人は
別として。

話題を持ってる人は確かにいいと思う
でもそれは
①好奇心を持って
②学んで
③自分の意見を持つ
ってことが必要だから無理矢理やるのも苦しいかも…
あと「母国でない国で暮らす」って成長するからね
さっきの人もそうだけど日本人でも同じこと
まぁ私も日本人って大人になるのが遅いんじゃないかとは思うよ
私含め男女問わず
今はまだ政治や世界のこと知らずに生きていけるけど…頑張りたいとこだね
さて日本人男子はどう見られているのか？
知りあう機会がないからわかんない
どこにいるの？
仕事ばっかなの？
サッカーとか趣味があるとちょっと違うかもね

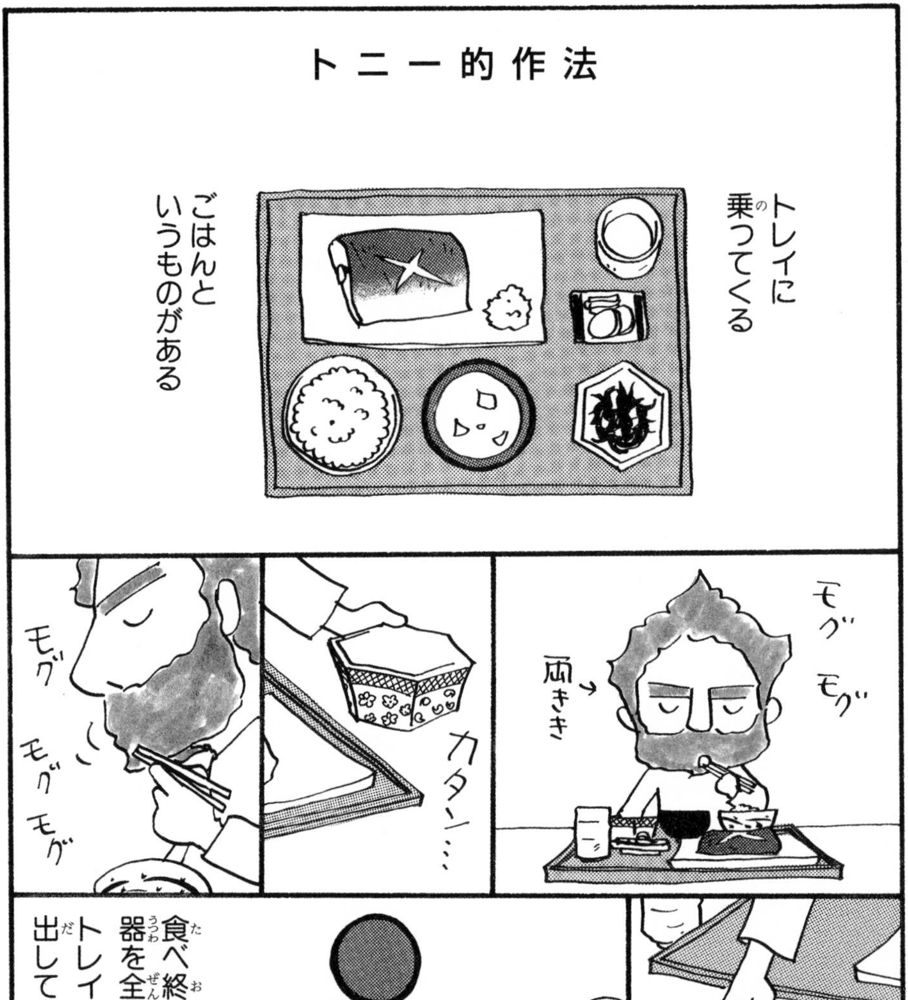

トニー的作法

トレイに乗ってくる

ごはんというものがある

モグ モグ

両きき

カタン…

モグ モグ モグ

ふと気づくと

カタン…

食べ終わった器を全部トレイの外に出している!!

最後のだけ 残っている

ねーー
なんで全部外に出してんの？
ん？あーー本当だ…
多分ね…
「自由」じゃないんだなーこれは…
キュークツな感じする…
ちなみに
この辺にお茶など飲み物を置くと
見える範囲がそこで線引きされるらしい
しばらく このおかずに気づかない
あ
でもトマトだと早めに気がつく

経験

質問
今まで親に
「食べなさい」と
言われたけど
どうしても
食べられなかった
ものは何？
イナゴ
子羊の
脳みそ
普段は
食べ残し
禁止だった
が
この時は
一口
食べて
もどしたので
許されたらしい
うぷ…
↑ママの
手料理

賭け

冗談まじりに
言い合いをしていて…
もー
そんなこと
言うなんて…
見失し
なったよ!!

?
…見そこ
なった、
ってこと?
…賭けて
みたんです
そして
負けた…

トニーのつぶやき

パーティ時に困ったときは

「無知」は罪にならない。一方、「知ったかぶり」は重罪だ。パーティで漫画家を紹介されると、目を光らせて一生懸命漫画を悪く言う外国人は必ず一人いるようだ。日本について知識が浅く、まして漫画を日本語で読んだことのない者に限って、長々と漫画について語ってしまうのはなぜなんだろう？何が何でも自分の意見を通してしまう人だったり、わざと相手を不愉快にさせる人だったりするので、あまり関わらないほうが賢明だと思う。パーティの場を借りて議論の練習をするというのであれば、話は別だが。

もちろん、漫画に対する固定観念のない人でも、無知は無知。しかし、センスのある相手であれば、漫画を含めて、日本の文化について語るのは大いに意味がある。相手に与える知識で無知が少しずつ理解に変わるからだ。

知ったかぶりの人がしつこい場合、ＳＦ作家アシモフの言葉を借りて、ユーモアで返してみよう。

「なんでも知っていると勘違いしているやつらは、実際になんでも知っている私たちにとって、いい迷惑だ。」

tony talks to himself

トニーの名言

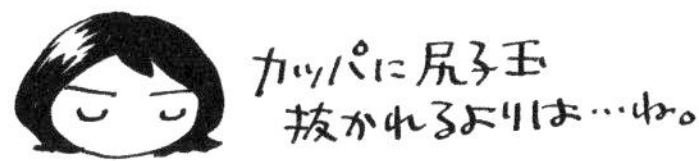

油断大敵

領収書
ください
カタカナで
「ラズロ」
タズロ？
ラーズーローー
と 説明しても
ワズロン 様
但し
だったりするけど
私だって
領収書
ください
「オグリ」
で
え
ボブ？
油断ならない
日本で
私ひとりで
どの へんが
「ボブ」っぽいんだ

ルポ

5

Wish us luck!

これからもよろしく

せっかく一緒にくらしているんだから、
少しでも楽しく。ブームって、燃える。

入籍しました

前著「ダーリンは外国人」で
そろそろ入籍しようかしら…
みたいなことを書いてから1年…
ほったらかしたままでした…
しかし最近ようやく
本当にそろそろ…かなぁ…
本当にそろそろ…ね…
となったのですが
「結婚」ってさ 誓いあう時が「結婚」だよね？
はい？

だから神父とか その町の長とか 船長とかの前で 「結婚の誓い」を すること
あと証人もつれてきて
ん? それは 結婚式のこと?
結婚式は お客さんよんで ゴハン食べて 踊るやつでしょ?
結婚式じゃ ないよー
僕が 言ってるのは 純粋に 「誓う」ってこと
え? 誰かの前で 誓うって いうのは 結婚式 なんじゃ ないの?
ゴハン 食べなくても
というか なぜ 船長…?
船長でも いいんだよ
ある場を 仕切る 責任ある人だから
船長…
おもかじ いっぱーい
船長…
大漁
ドッパーン
私なら こっちに お願いしたいが

とにかくね
「誓う」ってことが
「結婚」だと思うの
それも誰かの前で
誓うってこと
「届ける」ことが「結婚」
じゃないと思う
そんなこと言っても
誰と誰が
「誓ったか」なんて
わかんないじゃん
だから紙に書いて
届けるんでしょ？
それが「結婚」
正式な
と「結婚」の概念について
一晩モメたが
もうすぐ
亡くなった
お父さんの
誕生日だから
その日に届けを
出したいんだけど
いいよ
解決は
簡単だつた
さて
日本人と外国人でも
日本に居住している場合
日本で出した婚姻届で
正式な結婚となります
一緒に出す書類は
相手の国籍によって
違います
婚姻届には
証人2人の署名が
必要ですが…
お互いお世話に
なった人に
頼むのはどう？
さおりなら
おばあちゃんとか…
ボクも頼みたい人
いるし

「おばあちゃん」とは
私が子どもの頃
お世話になった人
大正2年生まれ
90才
血はつながってないけど
トニーとおばあちゃんは会うと延々話をしている
毎日畑にいかんと足の調子が悪いわ
そーなんですかー
あの2人は何を話してるんだろう…
で…私の家族に頼んでおばあちゃんの家に行ってもらったのですが…
いいかも…字を書くの大変そうだけど
…書いてもらって速達で送ったけど本籍の欄って「同上」でよかったっけ？
署名押印
生年月日
大正2年
住所
岐阜県美濃
本籍
同上
ふるえる字でかいてくれたが
わかんない…
この時年末年始の連休中休み明けすぐに出したかったので
役所の「夜間休日受付」…電話番号載ってるとこないかな——
真夜中
ババババ
ババババ
あった—！
しかし
あ〜
「同上」はダメです同じでもちゃんと書いてもらわないと…
届け出人のとこもです！
最初眠そうな声だったのに
メキメキ「お役所の人の声」に…

結局もう一度書いてもらい
ボクがお世話になった人にも署名をもらい…
思った通りの日に届けを出せました
しかし!! 本当にトニーは「入籍した」と言えるのだろうか?
私の戸籍が新しく作られたけど
戸籍に記録されている者
[名] ○○
[生年月日] 〃〃〃 など
身分事項
出生
婚姻
[出生日] 〃〃〃 など
[婚姻日] 〃〃〃〃
[配偶者氏名]
◎◎◎◎◎◎
[配偶者の国籍] 〃〃
[配偶者の生年月日] 〃〃
[従前戸籍] 〃〃〃
氏の変更
[氏変更日] 〃〃〃 など
以下余白
外国人はココに載るのみ
日本人は新しく枠が設けられる
戸籍に記録されている者
[名] ○○
[生年月日] 〃〃〃 など
身分事項
出生
婚姻
[出生日] 〃〃〃 など
[婚姻日] 〃〃〃〃
[配偶者氏名]
◎◎◎◎◎
[従前戸籍] 〃〃〃
戸籍に記録されている者
[名] ◎◎
[生年月日] 〃〃〃 など
身分事項
出生
婚姻
[出生日] 〃〃〃 など
[婚姻日] 〃〃〃〃
[配偶者氏名]
○○○○
なぜ外国人は「夫」や「妻」の欄に載れないのか?
ボクが取材したところでは
法務省ははっきりした理由は言ってないですね
法的根拠もないみたい
一説では戸籍は「日本人のみのもの」だとか
※ちなみに「戸籍」のような制度があるのは世界中で日本とごく少数の国のみ

さらに国際結婚は基本的に夫婦別姓
これもねえ…一説には「外国人には民法上の〃氏〃がないから」と言われるけど
婚姻から6カ月以内に「改姓届」を出すと名字を変えられます
アルファベットはカタカナ表記になるようですが
あと外国人も住民なのに「住民票」がないのもちょっと変じゃないかな
そうだね
役所にて
戸籍
婚姻届を出した今も「住民票の写しをください」と言っただけでは外国人が載らない場合もあります
つまり私は住民票上独身にもなれる
「外国人配偶者も記載してください」と言うと…
住民票
住所
世帯主 [省略]
外国人配偶者 ◎◎◎◎
氏名 ○○○○
生年月
前住所
本籍
日本人はここから下に書いてある
「備考欄」に載りますが
しかし頼んでも載せてくれない地区もあります

もし住民票に載らないと
子どもが生まれて3人家族になっても…
世帯主 ○○○
子 ○○○
書類上では2人家族
ボクは家族の一員として認められていないのか
なんだか半透明になるような…
と思う人もいるわけです
何年何十年と日本に住んで住民税を払ってきても
外国人には住民票がないのに
アザラシやマンガのキャラクターに住民票をあげる町もある…
これだけ外国人も増えてきたし検討し直されてもいいのではないかと…
思いますね

日本に来たきっかけ

「狂言」を見て「お鮨」食べたのがきっかけ
意外とフツーだね
お鮨はねぇ…一口食べたら別世界に連れていかれたねぇ…
どこ…？

モスキートキラー

蚊を殺すのは
私の方が得意なので

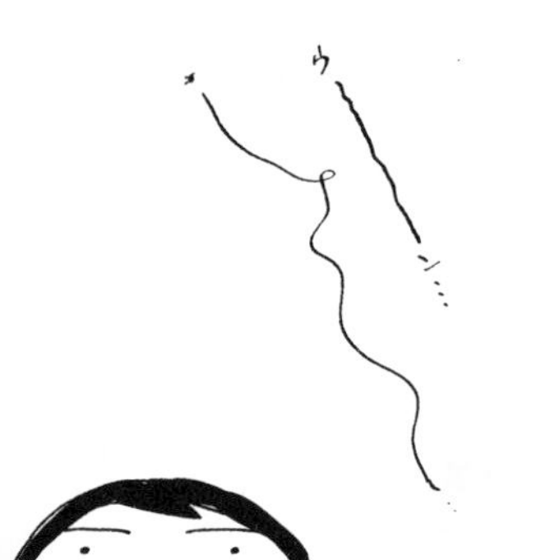

トニーに
「モスキートキラー」
（蚊を殺す人）と
言われている

私の
あみだした
攻撃方法

それは
トイレット・
ペーパーを
ロールごと
使います

止まっている蚊を見かけたら

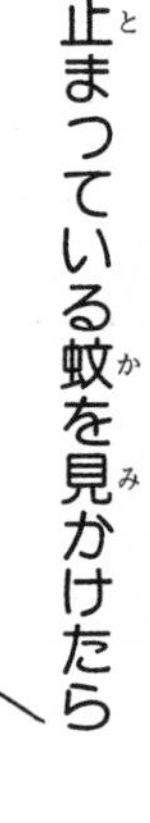

ロールを
持っていき…

自分の存在を消しつつ
よーく見つめて…

バシ！
そして
息を止めて
ロールを
一気に
壁に
押しつけます
バシ！
これは
天井に
蚊がいる
時も
大変便利
というか
そんな時に
思いついた方法
お試しください
成功しましたら
やっつけ
ました
この中に
入って
おります…
報告された方は
業績を
たたえる
パチ
パチ
パチ
見えない
ドレスを
つまんでいる
それから
蚊に
ごめん！
と言って
捨てます
蚊とゴキブリ
以外は
あまり殺さない
ようにして
ますが…
十分か

時々トニーのいる部屋から
パンッ！
手をたたく音が聞こえてくるので
カリ
カリ
カリ
あー蚊だな
やっつけたー？
…あのねぇ傷を負わせたと思うよーかなりの傷ですー
失敗したんだね…
またしばらくして
パンッ！
やっつけたー？
今度こそ
大きな音で驚かせてやったー
また…のがしたんだね…
ガチャ
驚かせて効果はあるの？
すっごくあるよー

驚いて
今頃
死んだかも
知れないしー…
「ここはヤバい!」
と思って
別の部屋に
行ったかも…
別の部屋
って
私の部屋
じゃん!!
たまには
トニーも
やっつけますが
なぜか
ゴキブリがでても
さおりーっ
そこ!
下入った!!
なんで
私が…
ところで
私の疑問
蚊って
刺された後
かゆくなければ
こんなに
殺されないと
思うんだけど
なぜかゆくないように
進化しないのかなぁ?
途中?
病原菌運ぶ
って理由で
退治される場合も
あるだろうけど

ホームパーティーへ

たまに
外国人宅で
開かれる
パーティに
行きます

多いのは
何か一品
持ち寄る
形式

お酒でも
料理でも

迷ったら
ビールか
ワインだね！

庭でもベランダでも

ジュ〜

スキあらば
バーベキュー率高し

でもみんなで乾杯したり全員で一つの話題になることはあまりなく
Hi!
How've you been?
入れかわり立ちかわりやってきて
バラバラに話しているので
言葉ができないと
地蔵になることもある
ぽつん…
やっぱり言葉の壁は大きいよねー
そうかなあ

ボクは「話せるか話せないか」より「話したいことがあるか」の方が重要だと思うな
例えば言葉が通じても
どこの国から来たんですか？
スロベニア
ど…どこそれ!?
ああそうなんですかー
しーん…
日本語お上手ですね
おハシも
ありがとう
しーん…
うまい人は言われまくっているので「またその話…」って感じに近い

これ おいしいね
これ！ こういうふうに 「その場を楽しむ」 会話って いいと思うな
うん 誰かの 手作りだよね
私 トマト 大好きなの
「この音楽いいね」とか 趣味の話とか…
何でもいいじゃない 「玄関にこんなにクツがあるの初めて見た」でもいいしさ
会話が広がっていくかどうかが大事なんだよ

国の話ばっかりだと「外国人と日本人」以上の深い話ができなくて面白くないと思うんだよね…
でもトニーは言葉ができなかった頃も日本人だらけのパーティで孤独じゃなかったの？
そういう時は「何か」をやらせてもらってたよ結婚式なら「受付」とか普通のパーティでも「お肉を焼く」とか
あと片言でも冗談を言ってみてウケたら続けるしウケなかったら「なんか冗談教えて」って言ったり…
うまくできなくてもいいじゃないの
とにかく人の反応をよく見る
あーそれは言えてる

私の場合
言葉が上手では
ないから
日本語が話せる人
または話したい人
片言の英語でも
わかろうとして
くれる人を見つける
引越し祝いの
パーティなら
「部屋見せて」
でもいいし
広い場合ね
でも
「国はどちら?」だって
話が広がれば
いいと思うよ
ああ
スロベニア
スロベニアは
ワインがおいしい
って聞くけど
赤と白どっちが
オススメ?
そうねえ…
あと
食べ物を
作っていくのも
会話の
きっかけに
なるかも
知れません
海苔は
食べられない外国人
結構いるので
気をつけて!

クリスマス物語

時々ある質問

クリスマスはどうやって過ごすの？

神様は「恋人たちよロマンティックに愛しあいなさーい」なんて言ってないでしょ
まぁねぇ
世間がみんな誰かと一緒なのに自分が一人だと淋しいっていうのはわかるけど…
なんか変
ボクはねークリスマスが華やかで楽しいイベントっていうのは別にいいと思うんだよね
キリスト教が布教の一環としてそういう風に広めたと思うから
でも「恋人と一緒にいないと」っていうのは違和感あるね
うんうん

例えば…全然
行事としては
意味が
違うけど
「お盆」を思い浮かべてみて？
日本では
「恋人と過ごす日」
なんて意味は
全くないでしょ？
だねー
「お墓参り」って
イメージ
あと先祖とか…？
それが
どこか外国で
「恋人の日」として
定着してたら
不思議に
感じない？
8/15
BON Night
「BON」どーしてんの!?
あ〜
フシギ
フシギ
「ohigan」も
あったりして
ちなみに
トニーは
ねっ
12歳くらいの頃…
サンタ
なんて
いないよな〜
同級生
12才のトニー予想形

と表面上は友達に合わせていたのだが
ああ いないよね もちろんだよー
バカだなー みんな… いないと思わせて 実はいるんじゃん
いない
いないー
なー
ずっと信じていたのだった…ところが!!
ある日突然先生が
もうみんな大きいからサンタがいないってことはわかってると思うけど…
はあああああ〜
知ってるよー
うん
サンタ… いない…? いない…んだ… おちつけ自分…
バレないように
はあはあ
遅ればせながらこっそりと大人の階段を上ったらしい…

どーでもいいブーム

ふたりでいると

ふたりの中だけで
流行ることが
あります

うちでは一時期
なぜか
指相撲を
よく
していた

もちろん
トニーの
手の方が
大きいので
私には
不利だが

「トニーとの
勝負には
絶対
負けない!!」

がモットーの
ワタクシ

よく負けるけど

ぬお〜〜っ

ばっ
ズルしてでも
トテー
いじにさしごろっちはっくじゅっ
1から10です
ずるーっ
たまには
えーいケケケケ…
もう一方の手さえ使う
あっ
ぐっ
ほかは「くだらない話」ブーム
今でもよくする
が
ぐあ
やり返されることもある
例えばサッカーを見ていて…

知ってた？
この人たちね
どうも手を
使わない
らしいよー
と
今さらな
ことを言う
言われた方は
ウソー
!?
必ず
受けなければ
いけない
じゃあ この人たち
足だけでボールを
取りあってる
っていうの？
そんな
バカな話ないでしょう
それが
そうなんだよー
誰か教えて
あげれば
いいのにね
手使うと早いよって
ねえー…
じゃあ
よっぽど深い
ワケでもあるん
でしょうなぁ…
く…
くだらない…
あるいは
ボクねー
食事と
排泄には
密接な
関係があると
思うんだよー
ホントーに
くだらない…
ああ!!
そーかも！
そういえば
食べると出るもん!!
そして
最近の
ブームは…
ねぇ
お昼
何にする？

何がいいかなぁ？
そうだ
イタリアンにしない？
近所の…
ん〜
どーだろう…
そうだ!!
ボクにいい考えがあるよ！
あっ
今日イタリアンにしない!?
それ今私が言ったでしょ!?
おわかりでしょうか？
「相手の意見をさも自分が考えたように提案・発表する」
ということなのです
実際にやってみるとわかるのですがこれ結構ハラがたちます
雨降りそうだから傘持っていこ…
さおりねぇ？
雨降りそうだから傘持っていこうよ…
だからーっ
言った!! 今!! この瞬間に!!

でこれが始まったのはそれより前に「手柄をたてたので〝ありがとう〟と言え」ブームがあったからなんです
おや
糸くず…ほらほら
ねっ、
たーいへん!
…
ふーん
なんかーおしつけがましいぞー
こーんなに大きなゴミをボクがボクが気づいて取ってあげましたよ
うっ
ばしっ
ウザッ
ありがとって言えばいーんでしょ
そう大したことじゃないけどね
いや～大変だった～
ふう～
大きかったしなんだかネバネバしてて…
してない!!
絶対してない!!こざっぱりとした糸です!!

そしてその日のイタリアンがおいしかったら
今日イタリアンにしようって言ったのは誰!?
It's me!
田中ー…よく思い出して私が言ったか田中が言ったか
ワタシだね
トニーを「田中」と呼ぶのは私の中だけで一時流行った
「トニー田中」からじゃなくて
tony tanaka
「t」と「n」がならんでて近い感じなんで。
帰りみち
あ久しぶりにビデオでも借りようか
あっ
トニーいい考えが!!ビデオでも借りない!?
ビデオもよく一緒に見るけど…
ぐっは〜〜っ
いつでも瞬時に戦場と化すので油断は禁物である
いたに〜ざらいごじじっ
もう数でもない

仲直りのきっかけ

ケンカして
しばらく
口もきかない…

ごくたまーに
そんな状態に
なることもあります

たいていは
「一応解決した
感じ」になるまで
何時間でも
話し合うのだが

私の方は
「怒りがおさまらない」か
「とにかく悲しい」で

しばらく
話したく
ない…

となる時がある

トニーは
すぐさま

例えば同じ一週間を過ごすなら

日	月	火	水	木	金	土
怒	怒	怒	怒	怒	笑	笑

ここで許すなら

日	月	火	水	木	金	土
怒	笑	笑	笑	笑	笑	笑

ここで許した方が笑顔の日が多くて幸せ。

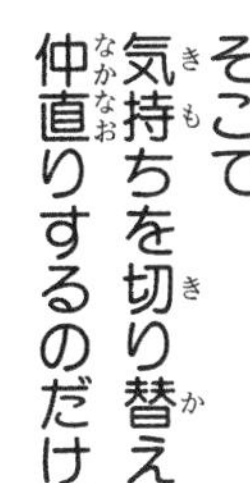
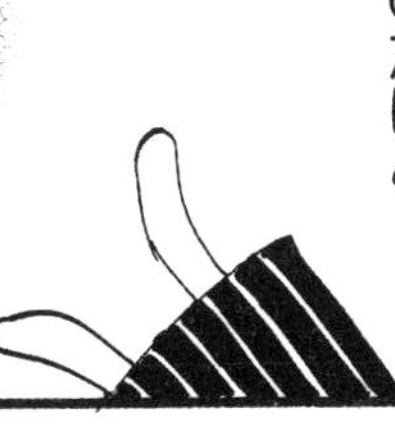

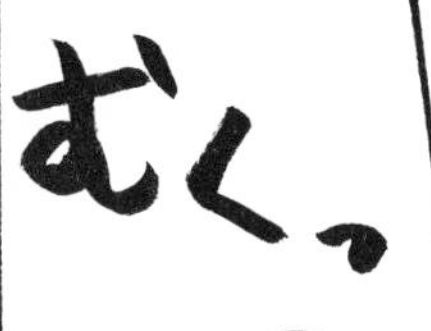

気持ちを切り替えよう!!
と決意するのみ
まぁそもそもよっぽどでない限り時間がたてばおさまるような「怒り」であることが多い
外を歩いてくるのもいいけど
その時間を短くしようと思う
でも…話しかけにくいな…
そんな時普段からやっていることがあると便利
うちでは毎日一緒に
①ミルクティーを飲む
②夕食後にビタミン剤を「食べる」
マルチビタミン
ラムネみたいなの
なぜ「食べる」錠剤にしているかというと私がある日飲めなくなったから
私のトラウマ物語
小学校5年の頃家でひとり留守番をしていて
マッシュルームカット

大きいアメをなめつつ
上を向いて笑った瞬間…
つまった。
一瞬 吐き出すか飲みこむか迷って…
ごくっ…
飲んだ。
ギリギリ飲みこめた。
危なかった!!
ガタ
「思い出しあせり」
おぅっ
ずっと忘れていたのに20年くらいたってある日突然思い出したのだった
…で普段たいていトニーがその錠剤をふたり分出しているのだが
どぞー
トニーは飲みこめるがおつきあい
多少ムッとしてても
一緒に食べれば雰囲気は少し和む
ポリ…
コレ食べるならまぁ大丈夫…。

紅茶を飲みたくなったら
トニーの分も一緒に作って
ぱっ
ありがと
……
たたた…
これもきっかけになる
そもそも人間って
悲しい
泣く
私泣いてる…
悲しいんだ
自覚する
悲しい〜っ
もっと悲しくなる
「怒り」や「笑い」などでも同じことが起こる
逆に
悲しくてもウソでも笑顔をつくる
脳から「気持ちの良くなる」物質が出るらしい
よく日本人は「悲しい話でも笑顔で話す」と、不思議がられるけど もしかして立ち直る手段なのかも…
だから結局「どんな気持ちか」は自分で決めればそうなるんじゃないかなぁ？
「そんなふうに思えない！」って気持ちも「思える」にかえられるかも…

あとはケンカの時に限らず
道端で売っていたので…
花を買ってきたり
ゼリーの時もある
低カリーおやつとトニーが信じているもの
散歩の時に
こっち こっち
少し遠回りして
お互いが見つけたキレイな景色や珍しいモノを紹介しあったり
おーキレイだねぇ…
ねー
そうして家に帰ったら
ただいまー
また一緒に
ミルクティーを飲もう

トニーのつぶやき

見守ってくれて、ありがとう

「勘違い」で結婚して、その日の内に「や〜めた」と言う芸能人は例外的存在として考えても、最近の離婚の数と性質は気になる。同年代の知人では、一回どころかすでに二、三回も離婚している人がいる。これから家庭を築こうとしている者としては、現状を見て、戸惑わないわけにはいかない。

離婚しなくて済むにはどうしたらいいものか。トゥルー・ラブを宣言しあうのはもちろん大事だ。しかし、それだけで間に合うだろうか。結婚前に、時間をかけて、何種類もの喧嘩と仲直りを体験した上、機会を見て、お互いの基本的な夢や目標、考え方について確かめ合うのだ。一目惚れした人は何よりの好運だが、結婚前に重大な喧嘩一つなかったら、どちらかが、猫どころかパンダを被っているに違いない。

一般論はさておき、僕たちの結婚生活はどうなのか。きっと、大丈夫だ。幸いにして、やさしい家族と友達に見守ってもらえている。それに、人間として変化していきながら、自分たちの愛を養っていく力と決意があるから。

tony talks to himself

ある日のスケッチ

ダーリンが外国人な人に聞きました！

あなたのダーリンについて教えてください！

ダーリンが外国人な人（だった人、も可）に、ogurisaori.com内でアンケートを実施。なかでも特にグッときた回答をご紹介します！　ああ、ダーリンの数ほど珍行動がある…。

［※（ ）内は、ダーリンの出身地・回答者名・年令・性別の順です。］

Q1 ダーリンの言動で驚いたことを教えてください。

生理中の女性は、冷たい飲み物を飲んじゃダメ！と言ってレストランで氷の入った水から氷を取り出し、何故飲んではいけないかという健康談を熱く語り始めたこと。（台湾　なっちゃん　26才　女性）

ハードロックを大音響でかけながら一生懸命尺八を吹いている。（アメリカ　チェブ　29才　女性）

来世に重点を置いている…。（宗教上しょうがないのですが）来世では、同じ人種でいたいね、とか、来世も一緒にいようねとか。…今を楽しもう、とか未来永劫一緒にいよう、じゃないの？（ミャンマー　ササ　32才　女性）

「靴磨き用ブラシ」で髪を整えているのを見た時。（ナイジェリア　sami　38才　女性）

おしっこする時便座に逆向きに座る。逆向きに座ることによっておしっこする空間が広くなり便座をよごさなくていいらしい。（アメリカ　Mountain Biker　32才　女性）

大学の人類学のレポート用に（テーマは不明）、自分の裸の写真（腕、太股）などを写しつつ、「ソー・ビューティホー」とつぶやいていた。（オーストラリア　cheekybabachick　29才　女性）

オナラに火がつくと言って実際やって見せたが、ズボンも焦げ、本人のオシリも軽く火傷した。地元では、結構やってるんだよ…って。（カナダ　Azu　30才　女性）

ちくわはぜったい生で食さない。（アメリカ　やきちゃん　25才　女性）

一応ムスリムなのですが、紫蘇焼酎のお湯割りと豚の生姜焼きが好物。ハラム（禁忌）にならないの？と注意すると「クルアーン（コーラン）に書いてある全てが真実じゃない。信じる事も大切だけど、疑う事も大事なんだよ」と説明（お説教？）されました。（イギリス　FanLOVE9　20才　女性）

アゴの下を指して「下顎（かがく）にニキビが出来てるよ」と言われたこと。（アメリカ　salthirata　26才　女性）

毛むくじゃらの腕の毛並みを整えていたとき。逆毛が気になるらしい…。（イタリア　KEIKO　24才　女性）

返品不可のモノを返品してきた時。（アメリカ　ゆーこ　31才）

ファジー洗濯機を信じない。自分で観察するため、ふたを開けてるから脱水できないのに「壊れた？」と文句を言う。（アメリカ　wavy　32才　女性）

日本に初めて来たとき、鴨川にいる鴨を見て「なぜ誰も捕まえないんだろう？」と真剣に聞いていた。母に日本では何を職業にするつもりなのか聞かれたとき「羊飼い。」とはっきり日本語で言ったこと。（イギリス　cheeky　42才　女性）

片側3車線の道路で、車線変更で右車線から左車線へノンストップで横切っていった。死ぬかと思いました。（カナダ　芽実　24才　女性）

Q2 ダーリンがお気に入りの日本語は？

「ろくでもない」（カナダ　まや　20才　女性）

「ダイジョッキ」「NIKU」（アメリカ　Giantchee　28才　女性）

「ぬ」。音がすごく好きらしく、日本語の末尾に「ぬ」をつけるのがお気に入り。私のことは「ハニーヌゥ～！」と呼ぶ。（イギリス　ホーリー　32才　女性）

「十日」（彼の給料日です）（フランス　オードリーヒップバーン　30才　女性）

「高田馬場」（響きが好きらしい）（イギリス　ゼスティー　31才　女性）

「あばよ」（どういう時使えるのか聞かれた）（ポーランド　だて　28才　女性）

「うなぎ」（とてもおいしいから）（アメリカ　ミミー　20才　女性）

「とりっぽい」（臆病者を英語でチキンとよびますが、それプラス覚えたての「～っぽい」を合体させて。臆病だと「とりっぽい」と言われます…）（アメリカ　やきちゃん　25才　女性）

「腹を割って言うと―！」と得意げに前につけて言う。（ミャンマー　ササ　32才　女性）

「おんなさん」＝女性。何回教えても覚えない。（ニュージーランド　早苗　41才　女性）

「枝葉末節」（アメリカ　レイコ　28才　女性）

「畳マット」音の響きが好きらしい。（カナダ　楓　30才　女性）

「ついつい」とか「おっさん」とか頻繁に言ってますがお気に入りかどうかは不明です。（ネパール　ひとみ　22才　女性）

「おもろない」（香港　瞳　19才　女性）

「文楽」。文楽が好きらしく、トニーさんと同じように（おいしいものには〝赤〟の称号がつくように）何でも気に入ったものは「文楽」と呼んでます。（ニュージーランド　ブンラク　29才　女性）

Q3

ケンカの理由を教えて下さい。

わけわからないことを言い始めた時。例えば、「何人兄弟？」と聞くと、聞くたびに人数が変わってる…。「何で毎回人数がかわるんじゃ！」とイライラする。弟の嫁さんだの、義理の妹だの数えてるらしい…。
（アメリカ　カル太郎　26才　女性）

私が母に対していつもの調子で「うるさい」とか言ったら、びっくりされて後でものすごく説教された。「家族に対してのリスペクトは大事だ！育ててくれた親によくそんなことが言えるな！」って。それでけんかに…。
（アメリカ　かれん　16才　女性）

なんで日本人なのに知らないの？としつこく言われたとき（長渕剛について）。（韓国　もーもー　25才　女性）

とにかく行動が遅い。出かけるのもいつもギリギリ。準備に取りかかっているかと思えば、コーヒーを飲んでくつろいでいる…。（イタリア　KEIKO　24才　女性）

私は納豆が嫌いだけど、彼は納豆アイスを食べた時「おいしいよ」と言ってたので、納豆寿司を食べさせたところ、相当臭いがきつくて、まずかったらしく、「君は自分が嫌いなものを平気で人に食べさせるのか！」と激怒され、説教された。（アメリカ　めきゃべつ　38才　女性）

①彼の自己嫌悪（ソバ煮すぎた）②リビングでいじける ③ソバのびる ④私がそれを発見。「何じゃコレ！」⑤「ガーン！」さらにいじける ⑥私が「…これ、どうするの？」⑦彼「わかんない」⑧「私に片付けろってこと？」そしてケンカ。（私が悪い）⑨ソバ、さらにのびる…。
（アメリカ　Giantchee　28才　女性）

Q4

ダーリンの慣習や好ましく思う点について教えて下さい。

毎日必ず、私がハッピーかどうか聞くこと。（アメリカ　Mo　33才　女性）

つねに、前向きで人の事もホメまくる。（アメリカ　チェブ　29才　女性）

ラマダーン（断食月）が終わった次の月（シャウワール）の最初の3日間に行うイード・ル・フィトル（Id-al-Fitr　断食明けの祭典）が好き。大らかな旦那なのでついでだからとクリスマスツリーを飾ったり（？）イスラエル人の友人とハヌカ（ユダヤ教の祭事）を祝ったり…。いいのか本当に!!
（イギリス　FanLOVE9　20才　女性）

Simple is best.をモットーに、ブランド・デザインよりは機能性重視なところ。流行に流されない自分の価値観がしっかりあるところ。（カナダ　ともりん　31才　女性）

裸足で歩くこと。ニュージーランドは芝生が多いせいか、スーパーとか街中でもよく裸足の人が歩いているそうです（夏・冬関係なく）。さすがに日本では裸足で街には行きませんが、外食などをした時にふとテーブル下の足元を見ると必ず!! 靴を脱いでいます。
（ニュージーランド　ブンラク　29才　女性）

女の人が家の中では一番と考えているところ。（アメリカ　カル太郎　26才　女性）

レディーファースト、老人や他人に親切。知らない人の荷物やベビーカーを階段で運んであげたり、ボランティア精神に満ち溢れている（結構損もしている）。（イギリス　ゼスティー　31才　女性）

日本と違って固いしっかりしたパンがいい。期限の過ぎた固いパンを喜んで食べる。（ポーランド　だて　28才　女性）

ものを大事にする。家の修理は全て自分でする。（イギリス　cheeky　42才　女性）

Q5 ダーリンが常に疑問に思っていることは？

日本人は、電車に乗ると何故突然無作法になるのか？（乗り降りで強引に他人を押す人、床に座る中高生など…）（フランス　すみれ　29才　女性）

日本人の"笑ってごまかす"ってやつ。どうしても理解できないらしい。（カナダ　やぶれかぶれ　27才　女性）

義理人情、ご祝儀。（ニュージーランド　早苗　41才　女性）

スポーツクラブに月会費をしっかりおさめているのに、毎日行くと嫌な顔をされること。（オーストラリア　cheekybabachick　29才　女性）

日本人の中でも、外国人嫌いの人がいるから、それが何故だろう？と疑問らしいです。電車で隣に誰も座らないとか、道を尋ねても顔も見ず素通りで無視されるとか。（カナダ　むうみん178　29才　女性）

ファミレスとかで「○○でよろしかったでしょうか」「はい」「はいお願いします」のやり取り。注文したのか、してないのか混乱するようです。（カナダ　ともりん　31才　女性）

ガイジン、という日本語。アウトサイダーという意味だし、そういう風に呼ばれたくないらしい。（アメリカ　MIHO　35才　女性）

日本人がトイレで紙を使用すること。（モルディブ　Tomujey　31才　女性）

日本人が「日本語が世界中の言語の中で一番難しい」と思いたがる節。（アメリカ　マンガ命　31才　女性）

男と女が使う言語が違うこと。「女は男の言語を使ったらだめなの？私も俺といいたいな～」と。（韓国　あっ！きら～ん　32才　男性）

なぜ日本人は体重にこだわるんだ？引き締ってて見かけがよければそれでいい、だそうです。（アメリカ　Mountain Biker　32才　女性）

天皇という制度はいつから始まったのか。将軍とどう違うのか。忍者は本当にいるのか。（アメリカ　カル太郎　26才　女性）

直線は自然界に存在するかしないか？（しないと思っている…）（アメリカ　masako　27才　女性）

どうして私が出逢った頃より怖くなったのか！（フランス　オードリーヒップバーン　30才　女性）

どうして日本人はすぐに言葉（特に外来語）を縮めるのか??日本に来たときに、「スタバ」とか「マック」とか「ケンタ」とか「パソコン」とか「リモコン」っていうのを聞いて、ビックリしてました。（イギリス　ホーリー　32才　女性）

今の若者はなぜ侍魂を忘れたのか？一円玉は必要ではないのではないか？（アメリカ　めきゃべつ　38才　女性）

中学・高校で漢文の授業をやる暇あったら普通話（中国語）か韓国語を教えればいい。映画のレディースサービスって性差別にならないの？日本のアダルトビデオにモザイクがあるのは何故？（イギリス　FarLOVE9　20才　女性）

歴史が好きなようで私と付き合い始めてからは日本側からみての第二世界大戦がどのようなものだったかに興味があるようです。歴史問題について熱く質問をされます。…困ってます、正直。（アメリカ　智ちま　23才　女性）

日本では"ハゲ"が非常に恥ずかしい、悲惨なこと。少ない髪を何とかのせたり大変。（風でめくれた時、彼はバーコードの素顔を見た！と非常に喜んだ）皮膚にペンキ（？）を塗ったり、訳のわからない髪形がある。ハゲ用の発明品が凄いこと。（ポーランド　だて　28才　女性）

なぜ日本人は「個性、個性」といいながら、同じ格好の人が多いのか？（韓国　祐二　27才　男性）

なぜ日本人は食事をする時にあまり会話をしないのだろうか、そしてなぜ食べるのが早いのだろうか？中国の方は食事をしながら会話を楽しむのが当たり前のようです。（台湾　パインちゃん　28才　女性）

日本人が「おにぎり作って…」と話す時に全員同じジェスチャーをする事。電車の中で首や指をパキパキ鳴らす人（殴られるのかと怖いらしい）。（イギリス　ゼスティー　31才　女性）

Q6 外国人なダーリンと過ごす時の心がけを教えてください。

言動について、その人だからそうなるのか、その人が育った国がそうなのか見極めること。自分（日本）の常識が相手の常識でないこともしばしばあるので。（カナダ　まや　20才　女性）

ＴＶを見ているときの「今なんて言ったの？」攻撃に怒らず対応すること。（成功率低）（アメリカ　ゆーこ　31才）

とにかく自分が日本人だという事に誇りを持つ。

（アメリカ　チェブ　29才　女性）

お酒を人前でつがない、レストラン等からの外出時に上着をはおらせてはいけない。マッチョ（男尊女卑の男性）に思われるのが嫌なようです。
（フランス　美里　29才　女性）

自分の意見をはっきり言う。言わないと、「Yes or No?」とすぐつっこまれますね。
（アメリカ　Mai　30才　女性）

日本的生活には、理由を考えることなく行っている習慣が多いので、いつ何を聞かれてもいいように、日本独特の文化や物について調べておく。
（イギリス　しろねこ　30才　女性）

すべてを理解させようしようとがんばらずに、楽しく笑って過ごす。（アメリカ　のん　31才　女性）

自分の文化の押し売りをしないこと。

（イギリス　ホーリー　32才　女性）

子どもにピンクの服を着せない。2才の女の子がいます。女と言う意識を植え付ける行動は厳禁だそうです。
（ニュージーランド　早苗　41才　女性）

相手の国・文化を冗談でも悪く言わない。

（カナダ　sun　29才　女性）

現代の日本人女性は、旦那さまの一歩後ろを歩かない、とすりこませること。
（アメリカ　やきちゃん　25才　女性）

時間が経つと2人の間では「自分の恋人は外国人だ」と言う意識がなくなっていくが、周りからは言われ続ける。そんなときでも自分たちが特別だとは思わないようにしている。
（カナダ　まや　20才　女性）

Q7 そのほかなにかあれば。

部屋を借りる際、不動産屋に「オタクの旦那さんの肌の色は、真っ黒から薄茶色の濃度でいうとどのあたり？」と聞かれたことがあります。それを聞いて何をどう判断するのでしょうか?!（ナイジェリア　sami　38才　女性）

結婚にまつわる迷信が多くて大変。例えば、虎年生まれの人は新郎新婦の寝室に入ってはダメ。また結婚式当日の朝、式場に向かうために車に乗る新郎新婦と絶対会ってはいけない。（虎は他の虎の子どもを食う→子宝に恵まれないということらしい。）新婦が妊娠してる場合は、引越し・お葬式に出席・トンカチを使うことはタブー、冷たいものは絶対食べたらダメ！など「してはいけない事」が山ほどある。（台湾　なっちゃん　26才　女性）

マレーシアの国民的飲み物は「ミロ」らしいのですが、彼のアパートにはミロの特大の袋（日本の市販サイズの10倍はあるような）があった。しかもその大半が飲まれていた…。彼曰く「これだけは欠かせない」そうです。
（マレーシア　たえ　22才　女性）

最後になりましたが

こうして「ダーリンは外国人2」が出せたことを、とても嬉しく思っています。前著「ダーリンは外国人」を読んでくださった沢山の方に感謝の気持ちでいっぱいです。どうもありがとうございました。

前著には様々な反響がありました。「私の彼は日本人だけどトニーさんに似ています」「うちは国際結婚だけど少し違う」…など、こういう感想をいただくたび、「やっぱり国籍というより個人の性格なんだなあ」と実感しています。どこの国に育ったか、というのは大きな要素ではありますが、家庭環境や年代、もともとの資質などいろんな条件によってその人が形づくられているわけですから、外国人がみんなトニーと同じではないですし、日本人同士でも「理解できない」という衝突は起こるでしょう。私は前著から、タイトルとは裏腹に「外国人」というより、「トニー個人」として多くのエピソードを描いたつもりです。「外国人」か「日本人」かという差異を、ほとんど意識しなくなっているからです。出身がどこであっても、お互いによく知り合えばきっと誰でもがそう感じるのではないか。とも思っているので、この本が少しでも心の壁を越えるきっかけになってくれればいいなぁと願いつつ、描き上げました。ちなみに、「トニーさん、いいですね」という反響もいただきましたが、それを本人に伝えたところ、「みんなどうかしてる…」と目を閉じて頭を左右に振っておりました。傷ついているわけではないようでしたが、ちょっと理解不能のようです。それから今回の本は、だいたいの内容を彼も読んでいます。しかし「…こんなことまで描いてるんだ…」とラフを握りしめておりましたので、「ごめんねぇ」と言いつつ、それも書き留めたばかりか、こうして本に書いている私。大丈夫なんでしょうか。そう聞かれてもねえ。皆様もお困りでしょうから、大丈夫だと信じつつ、走り去りたいと思います。

最後に改めまして、本当にどうもありがとうございました。

皆様の毎日に、笑顔がありますように。

小栗左多里

★★★

私のサイト
www.ogurisaori.com

トニーが主宰している
NGO「一緒企画」のサイト
www.issho.org

（トニーの日記サイト
talking.to/tony）

ダーリンは外国人2

★★★

2004年3月30日　初版第１刷発行
2005年4月11日　　　第20刷発行

著　者　小栗左多里

発行者　近藤隆史

発行所　株式会社 メディアファクトリー
〒104-0061　東京都中央区銀座8-4-17
TEL　0570-002-001

印刷・製本所　株式会社 廣済堂

ISBN4-8401-1032-8　C0095　©2004　Saori Oguri Printed in Japan.

初出　2003年6月号〜2004年4月号　「ゼクシィ」（リクルート刊）　掲載
2004年2月号「My　Vodafone　Magazine」（関東・甲信版）　掲載

ブックデザイン・炭竃三千代
DTP・（株）明昌堂
編集・松田紀子（メディアファクトリー）

小ブーム

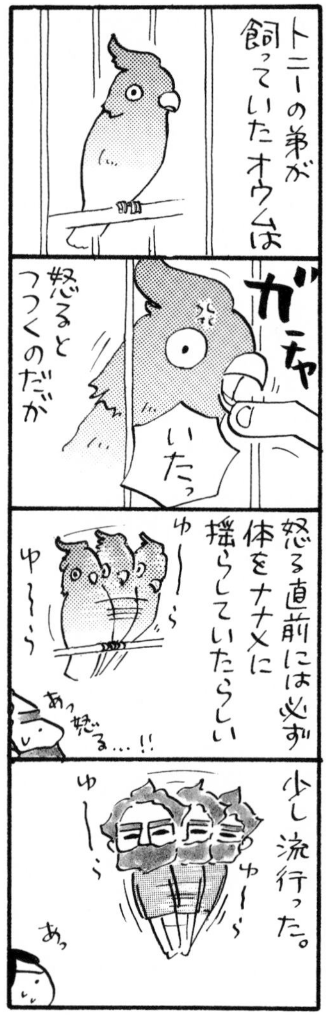

トニーの弟が飼っていたオウムは
怒るとつつくのだが
ガチャ
いたっ
怒る直前には必ず体をナナメに揺らしていたらしい
ゆ〜ら
ゆ〜ら
あっ怒る…!!
少し流行った。
ゆ〜ら
ゆ〜ら
あっ